D0274015

LES PASSAGES DE L'AMOUR

LES PASSAGES DE L'AMOUR

Aimer autant sans perdre la tête

Ian Grove-Stephenson
Susan Quilliam

LES PASSAGES DE L'AMOUR

Aimer autant sans perdre la tête

FORMA

Remerciements

Nous désirons remercier celles et ceux dont la contribution fut essentielle, en particulier les individus et les couples qui nous ont fait part de leur expérience : Trevor Day, Kevin et Tracy Donahue, Caroline Fruin et Aurya, John et Linda Howard, Syed Bodrue Islam et Salna Bodrue, Sue Linge, John Masters et Caroline Thorpe, Mary O'Dowd, David Robert et Jo Spence, Ivan Sokolov et Jackie Pearson, de même que Jane et Steve Yelding.

Les passages de l'amour

Traduit de l'anglais par Jean-Robert Saucyer

Dépôt légal : 1er trimestre 1988
Bibliothèque nationale du Québec

ISBN : 2-920878-08-5

ÉdiForma
4380, rue Saint-Denis, Montréal (Qc) H2J 2L1
(514) 849-6178

Diffusion en librairie : Flammarion Limitée-Socadis

Imprimé au Canada — Printed in Canada
Février 1988

À l'un et l'autre

Introduction

On n'enseigne pas les choses de l'Amour. Il n'existe ni université ni cours par correspondance qui traite cet aspect essentiel de la vie. Pourtant les relations amoureuses — de la cour à la rupture — forment la quintessence de l'existence. Connaître les passages de l'amour, c'est déjà faire l'apprentissage de l'amour.

En ce monde où le taux de divorce atteint un pourcentage élevé, nombre de gens connaissent pourtant une union heureuse. On devient encore amoureux, on rencontre quelquefois l'être dont on a rêvé. On prend toujours plaisir à faire l'amour. On rencontre des couples heureux; certains sont ensemble pour la vie. D'autres unions prennent fin sans drame, après que les partenaires aient tout appris l'un de l'autre et qu'ils se soient entendus pour aller chacun leur chemin.

Certains semblent donc posséder la clef de l'Amour. Mais où la trouve-t-on? Quelle est la recette qui assure le succès amoureux? Et celle-ci est-elle la même pour chacun de nous?

Conscients qu'autour de nous se trouvaient des êtres intelligents qui éprouvaient quelque difficulté au plan affectif, nous nous sommes demandés ce qui adviendrait si ces gens prenaient possession de leurs moyens émotionnels et si, de ce fait, ils formaient des couples heureux. Ne vivrions-nous pas en un monde meilleur?

Nous disposions de certaines ressources afin d'avancer ce projet. Nous étions tous deux conseillers psychologiques et avions eu recours à une technique reposant sur les efforts personnels afin d'exprimer les sentiments et les pensées intimes. Nous avions étudié la neurolinguistique; il s'agit d'une nouvelle branche de la psychologie qui se sert des pensées afin de modifier une attitude.

Cette technique servit de point de départ à l'entreprise.

Nous avons interrogé nombre de gens : des couples mariés depuis plus de quarante ans, des célibataires chérissant leur solitude, des jeunes mariés, des vieux mariés, des couples dont le mariage avait été décidé par leurs parents, des individus qui nous ont raconté leurs ruptures heureuses, des concubins ravis et des partenaires volages.

La vie n'est pas que gentillesses, bonbons et chocolats. Nous n'avons interviewé aucun couple qui ne se disputât jamais; depuis certains sont séparés. De l'avis de plusieurs d'entre eux, il n'est pas de relation parfaite mais il existe des éléments permettant la bonne entente et l'harmonie.

Ce qui fait le bonheur d'une union peut-il convenir à d'autres? Nous avons cherché à le découvrir. Pour ce faire, nous avons utilisé la psychothérapie auprès de gens dont la vie émotive n'était pas sans difficultés. Nous leur avons conseillé certains trucs auxquels avaient recours les personnes interviewées afin de savoir si ceux-ci convenaient à chacun. De plus, nous avons institué trois ateliers.

Nous n'avons jamais cessé de favoriser la relation, de proposer des solutions de rechange, de les adapter et d'inciter les couples à la conciliation. De ce remue-méninges, de ces entrevues, de cette paperasse étalée sur le tapis du salon, de ces engueulades et de ces embrassades, nous avons fait ce livre.

Que contient-il donc? Nous avons essayé de préciser les méthodes auxquelles on a recours afin de favoriser les rapports émotionnels. Nous nous sommes intéressés à leurs expériences personnelles, à leurs consciences, leurs sentiments et leurs comportements. Souvent ces attitudes varient beaucoup selon les individus; en de nombreux cas, elles sont les mêmes. Nous les avons présentées à partir de notre propre expérience ainsi que celle de nos collaborateurs; chacun pourra cependant les interpréter selon son vécu. Nous avons conçu chaque chapitre de sorte que le lecteur prenne connaissance des passages de l'amour. Il ne s'agissait pas d'établir un relevé des recettes infaillibles d'autrui. Nous avons l'intention de vous fournir des indices concrets afin de favoriser vos relations ou, si cela s'imposait, d'y mettre fin.

Ce livre n'offre pas la recette miraculeuse du bonheur conjugal. Nous n'avons rencontré personne qui se vantât de la posséder.

Cet ouvrage ne prodigue pas les conseils d'une pléthore de soi-disants experts sur ce qui convient ou non de faire et ne livre pas les témoignages de couples modèles qui voient la vie en rose.

Ce livre n'a pas valeur de sondage ou de statistiques; les gens heureux ne constituent pas des catégories sociales distinctes.

Les entrevues ont révélé que souvent un problème précis ne revêt pas une importance capitale. La différence entre une union heureuse et un échec provient surtout de la manière dont on résout les problèmes. La situation financière peut causer du souci à plusieurs mais les manières de faire face à ce problème varient considérablement.

Règle générale, les premiers passages conviennent aux premières phases d'une relation et ainsi de suite. Il faut tenir compte des événements antérieurs à la relation et du passé de chacun car ils façonneront le rapport amoureux. Les espérances des conjoints méritent une attention particulière, de même que les critères de sélection. Ils décideront de l'avenir d'une relation.

Plusieurs choses entrent en jeu lorsque sont nouées les relations amoureuses. On doit avant tout se rapprocher de son partenaire et tisser des liens intimes. Ensuite chacun tire parti de la relation, fait des concessions et négocie en vue d'assurer l'équilibre et la stabilité de l'union.

La force d'une relation amoureuse tient à cet équilibre entre l'individualité et la participation de l'individu à l'association qu'est le couple. Ce fragile équilibre est l'élément-clef de rapports amoureux satisfaisants.

Tel est le fil conducteur de l'ouvrage.

Hélas! surviennent toujours des ennuis et nous ne l'avons pas oublié.

Si les conflits s'enveniment et qu'aucune solution n'apaise les coeurs, il faudra envisager une rupture. Par contre, si les problèmes se résolvent, peut-être serez-vous en mesure de contempler un avenir commun, de faire des projets et de vouer le reste de votre vie à cet amour.

Telle est donc la forme de l'ouvrage. Chacun des passages est décrit avec force détails; ce qu'il apporte de réflexions, de sentiments et de modifications de comportement est explicité. Nous faisons part de nos découvertes, d'exemples tirés de nos propres vies. Nous fournissons au lecteur la possibilité d'évaluer sa propre situation, de s'interroger sur lui-même et sur ce qu'il attend du rapport amoureux présent ou futur. Ces remises en question vous permettront de mieux vous connaître et de déterminer votre conduite à venir.

Quel usage pouvez-vous faire de ce livre? Précisons qu'il n'est point besoin d'entretenir un rapport amoureux pour en faire lecture. Il est avant tout destiné à l'usage de ceux qui veulent acquérir une certaine expertise face aux choses de l'amour, qu'il s'agisse de favoriser une relation ou d'y mettre fin.

Votre conjoint n'est pas obligé de lire ce livre. De fait, il vaudrait mieux qu'il ne s'y sente pas contraint. S'il désire en prendre connaissance pour mieux échanger avec vous, voilà qui serait bien. Nous vous offrons quelques suggestions. Il n'en tient qu'à vous d'améliorer vos rapports affectifs.

Prenez plaisir à la lecture de ce livre. Lisez-le du début à la fin ou feuilletez seulement les chapitres qui vous intéressent. Si la lecture de ce livre ne vous apprenait qu'une seule chose, elle modifierait quand même vos pensées et vos agissements à plus ou moins brève échéance. Chacun de nous peut apprendre à aimer, à choisir le partenaire qui lui convient et qu'il saura rendre heureux. On peut apprendre à reconnaître ses désirs et à négocier afin de les satisfaire. En période difficile, on peut apprendre à maîtriser sa colère, ses frustrations, son ennui et à faire face ou à contourner les difficultés. On peut apprendre à partir le moment venu et à rester lorsqu'il le faut. Chacun dispose de son intelligence, de son énergie et de son affection afin de s'assurer l'Amour. Car ces choses-là s'apprennent.

L'Amour

À l'époque où les mariages se faisaient entre gens d'un même village ou de villages avoisinants, l'amour n'avait rien que de banal. Les couples se courtisaient, finalisaient leur union et fondaient une famille. Chacun pénétrait l'intimité de ses parents : leurs discussions, leurs disputes, leurs réconciliations, voire même leurs relations sexuelles. Aucun ménage n'avait de secrets pour qui que ce fût ; on n'ignorait pas comment les parents communiquaient, comment ils transigeaient émotivement, ni comment ils obtenaient gain de cause. Les enfants recevaient de-ci de-là des bribes d'informations qui détermineraient un jour leurs propres relations amoureuses.

De nos jours, on rentre chez soi à dix-huit heures pour réintégrer l'anonymat d'un pavillon de banlieue et on retrouve son voisin à bord de l'autobus le lendemain matin. On ne sait donc rien de lui. Nous n'apprenons pas les mécanismes émotifs dans toute leur complexité comme le faisaient nos prédécesseurs. Nous apprenons sur le tas, en commettant des erreurs.

En amorçant une relation émotive, en la développant ou en y mettant fin, nous savons ce que nous désirons : trouver le bonheur auprès de quelqu'un. Cependant, nous sommes plus hésitants quant à la manière d'y parvenir. Nous savons conduire une automobile, faire un appel outre-mer ou négocier une question épineuse parce que nous avons parfait la manière de faire ces choses. Nous en connaissons la procédure, l'état d'esprit à adopter, le cheminement intellectuel qui nous permettra d'y parvenir. Mais jamais on n'enseigne la façon d'aborder une relation personnelle.

I.
Qu'est-ce que l'Amour?

Nous nous entendons pour affirmer que le point commun de tous et toutes réside dans leur caractère distinctif. Chacun de nous est unique et, de ce fait, réagit de façon différente.

Les concepts de l'amour diffèrent énormément selon les civilisations et les époques. Les Grecs anciens avaient six mots pour décrire l'amour et aucun d'eux ne correspond à l'idée que nous nous en faisons aujourd'hui. Les buts de l'amour ont aussi changé. Pendant plusieurs siècles (encore de nos jours), on se mariait pour assurer sa sécurité financière et pour le confort matériel qu'offrait le conjoint. Dans notre société, épouser quelqu'un sans éprouver de profonds sentiments à son égard porte plusieurs noms mais l'amour n'est pas de ceux-là. Les concepts de l'amour varient selon les cultures. Beela, une femme du Bengale, peut affirmer avec sérénité : «Pendant les cinq premières années de mon mariage, je n'ai pas aimé mon époux; je l'aime à présent.» Par contre, une jeune occidentale énonce avec conviction : «Je ne pourrais pas m'engager envers un homme dont je ne serais pas amoureuse. »

Le concept de l'amour varie-t-il auprès de gens appartenant à une même culture ou à une même classe sociale? Bien sûr. Imaginez un instant que votre meilleur(e) ami(e) d'enfance vous retrouve dans un bistrot après le travail. Vous avez vécu sensiblement les mêmes expériences et après la seconde bouteille de vin, vous vous entendez à merveille. L'idée que chacun de vous se fait de l'amour peut cependant varier considérablement.

Vos idées peuvent se ressembler vaguement, même si vous optez pour le concubinage alors que votre ami(e) favorise le mariage. En entrant dans les détails, vous pouvez croire qu'une querelle est le début de la fin alors que votre ami(e) y voit l'indice d'une relation prometteuse. Il vous importe peut-être plus ou moins que votre partenaire téléphone s'il a une heure de retard, tandis que sans cette attention, votre ami(e) entamera des procédures de divorce.

L'amour est un sentiment qui grandit ou se perd par étapes. Cela va autant pour les relations stables et heureuses. La fébrile attente de son coup de fil peut vite devenir de la colère s'il téléphone avec deux heures de retard.

La plupart des personnes interrogées ont avoué que leurs relations amoureuses connaissent des cycles. Il y a tout d'abord le coup de foudre : le trac et la tête dans les nuages; être entièrement vouée, corps et âme, à l'autre; l'impression de Helen est partagée par plusieurs. Ils croient que cette extase est passagère et qu'elle n'est peut-être pas réelle. Cette sensation va de pair avec l'attirance physique. Il appert qu'elle est l'un des principaux facteurs décrivant l'amour chez les Occidentaux.

Si la relation s'approfondit, d'autres facteurs prennent la relève; il s'agit des détails à régler si l'on souhaite aller plus avant dans cette relation. «L'amour est plus durable que l'attrait physique», ajoute Helen. Rose et Philippe affirment : «Nous travaillons ensemble et nous partageons tout de façon équitable.» Partager la vie de quelqu'un sous-entend que l'on doive régler les détails pratiques, assigner les tâches telles que l'achat des maisons et l'éducation des enfants. Deux êtres qui essaient de former une union doivent tenir compte des différences d'intérêts et d'opinions, des pressions extérieures, du défi quotidien qui consiste à satisfaire les besoins de l'autre alors qu'ils nous sont peut-être incompatibles.

Nous avons rencontré des gens qui ont poussé plus avant leurs relations. Certains couples ont su conserver la fascination des premiers temps, y ont ajouté la complicité des années, ainsi que la capacité de s'élever au-dessus des préoccupations domestiques. Peu ont réussi à le faire jusqu'au bout, certains y sont quand même parvenus. Cet élément est essentiel à la vie amoureuse. Nous y reviendrons souvent.

Les idées que l'on se fait de l'amour diffèrent, de même que les cycles, mais tous s'entendent sur une chose : vivre une relation amoureuse modifie la vie de chacun. L'amour change notre attitude et nos sentiments. Comparez vos expériences amoureuses à celles des personnes que nous avons interviewées. Comment vous sentez-vous, quelles sont vos pensées, que faites-vous lorsque vous êtes en amour?

Nous leur avons demandé : «Comment savez-vous que vous êtes amoureux?» Les premières réponses touchaient invariablement les sentiments : «Je sais que je l'aime parce que j'ai des papillons à l'estomac»; «J'ai les jambes comme des chiffes quand je sais qu'il s'en vient». Perte d'appétit, vertiges, halètements, maux d'estomac, chaleurs : il ne s'agit pas d'une nouvelle maladie mais des symptômes de l'amour. Ils peuvent frapper comme la foudre ou couler dans le sang comme la rage.

Personne n'a affirmé bien s'entendre en tout temps avec son partenaire; tous ont avoué se fâcher et s'engueuler de temps en temps. Il semble que certaines gens deviennent plus colériques avec leurs conjoints qu'avec leurs collègues ou leurs amis — peut-être est-ce parce qu'ils se sentent plus vulnérables avec leur conjoint ou alors parce que le négatif va de pair avec le positif? «Je pique des colères seulement avec mes proches; avec les autres, je garde une façade».

L'expérience nous a appris que ces sentiments ne viennent pas du néant. Ce n'est pas parce que l'être aimé est présent que l'on ressent de fortes émotions; elles se trouvent en nous en son absence. Pourquoi donc?

Parce que nous usons de notre cerveau. Les sons et les images qui y sont enfermés (autrement dit, les pensées) répertorient nos expériences, les classifient et nous suggèrent diverses attitudes et émotions. Chacun réagit différemment. Il existe donc autant de pensées, autant d'amours qu'il y a d'amoureux.

«Lorsque je pense à lui, je vois seulement son visage dans un éclairage tamisé, dessiné dans les tons pastel. J'entends sa voix, grave et douce. Je ressens toujours beaucoup d'amour pour lui lorsque je le vois ainsi.».

Dans le langage de l'esprit, Eleanor imagine Frank sous un certain angle et ressent certaines choses face à lui. Nous avons découvert que plusieurs songent à leur conjoint différemment de la façon dont ils pensent à leur entourage, pas seulement quant aux pensées elles-mêmes mais aussi à la manière dont ils font naître ces pensées.

L'expérience décide de nos pensées. L'esprit entrepose nos expériences qui servent ensuite de fiches d'identité pour nous rappeler certaines personnes. Les pensées relatives aux êtres chers sont emmagasinées de certaines façons parce que nous les aimons. À chaque rencontre ou appel téléphonique, ces divers éléments sont introduits et modifient quelquefois l'idée que nous nous faisons de notre partenaire.

«Avant le début de notre relation, son image était floue. Lorsque je pense à lui en tant qu'amant, les images sont claires et précises.»

Ces images ne sont pas nécessairement réalistes.

«Les gens que je vois sont des cercles. S'ils sont mes proches, les cercles se rapprochent; à mesure que je me détache d'eux, les cercles s'éloignent.»

Très souvent, on se sait amoureux parce qu'on conçoit les images d'un avenir commun.

«Je sais que je l'aime parce que je nous imagine ensemble dans quarante ans et cette pensée me réjouit. Jamais je n'ai fait cela pour une fille avant elle.»

«Je sais combien j'aime quelqu'un en essayant d'imaginer l'avenir sans lui. Plus je m'affole, plus je l'aime.»

De telles pensées proviennent de nos expériences et, à leur tour, elles créent les sentiments. Parmi les personnes interviewées, celles dont l'union a pris fin prétendent penser différemment à leur ex-conjoint depuis qu'elles ont accepté la rupture. L'image qu'elles se font de lui n'a peut-être pas changé, mais l'angle de vision n'est plus le même.

«Quand je repense à elle, je la vois qui dégage des rayons de lumière en prononçant affectueusement mon prénom. Il m'arrive encore de l'imaginer ainsi, mais peu souvent depuis que nous sommes en moins bons termes.»

«Je sais que je suis prête à rompre quand je cesse de me demander si mon partenaire m'aime pour me demander si moi je l'aime.»

Ainsi les pensées engendrent les sentiments, de même qu'elles sont le catalyseur des gestes que nous posons. Souvent on achète un cadeau en s'imaginant la mine réjouie de celui à qui on l'offrira. On doit plusieurs appels conciliants au souvenir du tremblement de la voix de quelqu'un. La personne concernée n'était pas présente au moment où le cadeau fut acheté ou lorsque l'appel fut fait, mais la mémoire a fait son oeuvre.

En d'autres moments, ce même langage de l'esprit peut causer beaucoup de tort. Il sera difficile de rentrer chez soi avec enthousiasme après avoir imaginé des scènes de querelle et de remontrances. Les besoins réprimés pendant de longues années peuvent changer la douce voix intérieure en gémissements plaintifs ; alors il sera d'autant plus facile de tout laisser tomber et d'accourir auprès d'un autre.

L'amour tient donc à la somme de nos expériences, à nos pensées, à nos sentiments et aux gestes que nous posons. On rencontre quelqu'un. On apprend à découvrir ce qui fait son individualité. Cette connaissance devient pensées qui s'accumulent et se transforment à leur tour en sentiments. Nos sentiments conduisent nos actions. Chacun réagit différemment face à ces choses, chacun aime d'unique manière.

Ce livre s'intéresse à ces connaissances, ces pensées, ces sentiments et ces actions. Nous avons vu comment d'autres y font face et vous pourrez voir quelles sont vos propres réactions. En quels termes pensez-vous à votre amour ? Ces pensées changent-elles au fur et à mesure que votre sentiment s'approfondit ? Comment ces pensées deviennent-elles sentiments ? Comment ceux-ci modifient-ils votre comportement pour transformer la relation ? Comment votre partenaire réagit-il face à cela et comment le comportement de chacun — les différentes manières d'aimer — influence-t-il la relation ?

Vous devez savoir vous servir des constituants de l'amour. Devenir conscients de ce que vous pensez. Raffiner votre technique de pensée. Peut-être envisagerez-vous d'autres façons de penser et de réagir. Soyez conscients de vos sentiments et apprenez à acquérir une certaine aisance et à diversifier les manières d'exprimer vos émotions. Imaginez de nouvelles manières de faire les choses. Concilier les activités de chacun, de manière à ce que vous soyez ensemble à tous les niveaux. En d'autres mots, franchissez avec nous les passages de l'amour.

Les passages de l'amour

Après avoir défini ce que sont les passages amoureux, réfléchissez à la manière dont ils peuvent vous servir. En tant qu'individu ou au sein du couple, votre partenaire et vous avez diverses manières de réagir. Ces dernières sont uniques car certains problèmes ne concernent que vous, les joies ne sont pas les mêmes pour tous. Alors comment l'expérience d'autrui peut-elle nous être de quelque secours?

Nous avons découvert en parlant avec tous ces gens que, sans même s'en rendre compte, ils faisaient appel à certains trucs afin de favoriser l'épanouissement de leurs sentiments. Ils ne ressentaient pas un amour plus profond ni ne s'ingéniaient plus que d'autres à bien s'entendre; au contraire, ils s'entendaient le mieux en s'adonnant à leurs activités préférées. Chacun de nous offre le maximum à tout moment. Il suffit ensuite de canaliser ce maximum d'énergie dans la bonne direction. Au tennis, deux joueurs investiront autant d'efforts et d'énergie mais le plus habile remportera la partie.

Il est ressorti de nos entretiens avec les couples heureux que ces derniers ont toujours recours aux mêmes trucs, peu importe de quoi il retourne. Le dialogue, par exemple, sert autant à faire les courses ensemble qu'à parler de fidélité. Le succès de leurs relations ne provient pas de ce que ces couples font mais de la manière dont ils le font.

Nous avons constaté que les gens heureux en ménage ont un tempérament flexible. Après avoir eu recours à une méthode qui n'allait pas, ils consentaient à essayer autre chose. Aucun comportement, nulle approche ne réussit à tout coup.

Le pouvoir passe par la connaissance. Connaître ses capacités amoureuses ainsi que les mécanismes de sa relation affective facilite les choses de l'Amour. Savoir quoi chercher chez l'autre pour en tirer du bonheur et en offrir à son tour facilitera vos relations éventuelles.

Intéressez-vous à la façon dont vous fonctionnez au plan émotif; vous serez ensuite en mesure de le faire pour votre partenaire. Écoutez ses silences, comprenez ses mots et ses gestes. Évaluez vos besoins et les siens afin de savoir s'il y a conflit ou entente. Apprenez à le motiver, à favoriser sa compréhension des choses. Étudiez tous les engrenages de votre relation afin de la mieux comprendre et d'en tirer le maximum.

II
Qu'apportez-vous à la relation?

Avant d'entreprendre une relation, qu'il s'agisse de la première ou de la nième, chacun apporte son propre bagage : son corps, son esprit, ses qualités et sa personnalité. Sans oublier ses souvenirs passés et ses espoirs d'avenir. On peut encore ajouter la situation actuelle, l'emploi, la famille, les amis et les intérêts particuliers.

Ce chapitre est consacré au bagage que chacun apporte à la relation et à la façon dont la relation peut favoriser les autres aspects de la vie. Il faut se méfier d'une relation qui demande que l'on abandonne un peu de soi, de même que d'un excédent de bagages qui risque de restreindre les chances de succès.

Comment entreprendre une relation qui vous convienne sans que votre situation n'entrave le processus amoureux?

Le passé de chacun décide de la manière dont on réagit et dont on aime.

Qu'avez-vous à offrir à un partenaire éventuel? À quel niveau votre unicité se situe-t-elle, et quels en sont les avantages, les inconvénients?

Que vous ayez noué une relation ou que vous vous apprêtiez à le faire, ce chapitre vous permettra de vous évaluer avant d'entreprendre l'évaluation de votre partenaire.

Le premier passage de l'amour :

Nouez une relation qui nous convienne

Chacun vit sa vie comme il l'entend. On choisit un appartement, on y vit entouré de plantes ou d'animaux, on cumule des emplois et on fait des projets d'avenir. On se lie d'amitié, on fréquente la parenté et les collègues, on est au coeur de ce réseau de relations. «J'ai un cottage. Chaque fin de semaine, j'y vais; je ne saurais m'en passer pour rien au monde.»

Pour rien au monde ou seulement pour un amour? Au début, l'amour peut sembler un élément extérieur mais bientôt il envahit toute l'existence. Que se passe-t-il si l'on voit sa vie sociale contrainte par un emploi, si ses amies assiègent chaque jour la maison ou si la vie professionnelle gêne les relations familiales?

Les couples heureux ont songé à l'avance à ce genre de choses. Certains parmi les plus heureux que nous ayons rencontrés avaient évalué les différents aspects de leurs vies — famille, emploi, amis — et avaient ensuite procédé à une épuration; ils avaient décidé de ce qu'ils pouvaient laisser tomber et avaient cultivé le reste. Ensuite, ils avaient porté leur choix sur un partenaire désireux de bâtir avec eux, de vivre l'existence souhaitée par chacun à l'intérieur des limites imposées.

«Je savais depuis le mois d'août que j'irais vivre à l'étranger. Je ne pouvais donc pas engager une relation stable. J'ai dû refuser deux amants éventuels, car je savais que nous risquions de nous éprendre inutilement. Alors j'ai rencontré Gordon. Il venait de mettre fin à une longue relation et se sentant vulnérable, l'idée d'une courte aventure sans conséquences ne lui déplaisait pas. Dès le premier soir, je lui ai confié mes intentions et nous nous sommes fréquentés ainsi pendant huit mois, jusqu'à mon départ. Nous sommes encore copains.»

«Lorsque ma femme m'a quitté en me laissant la garde des enfants, je me suis senti affolé. Après une convalescence émotive, lorsque je fus de nouveau en mesure d'envisager une autre relation, je me suis rendu compte que je devais conclure un marché avec celle qui serait ma compagne : quiconque vivrait avec moi devrait s'occuper de mes enfants pendant au moins quelques années. J'ai eu la chance de la rencontrer. Elle aima mes enfants bien qu'elle n'en ait pas eu. Malgré tout notre amour, notre union aurait été impensable si elle n'avait pas aimé mes enfants.»

Auraient-ils pu poser un autre choix? Bien sûr. Julia aurait pu emménager avec Joe tandis qu'il aurait confié à quelqu'un la garde des enfants. Mais après avoir décidé chacun de leur côté ce qu'ils voulaient, ils s'y tinrent jusqu'à ce qu'ils aient rencontré la personne prête à satisfaire leurs exigences. Gordon était heureux d'apprendre que Julia voulait la même chose que lui ; Julia adopta une famille et connut la joie d'avoir des enfants. Une relation pleinement vécue ajoute à la vie de chacun. Un nouveau partenaire nous entraîne dans une vie sociale différente, apporte d'autres ressources et offre quelquefois une nouvelle gardienne pour le chat.

«Nous étions épris l'un de l'autre depuis le début. La relation a toujours été satisfaisante. Nous devons cependant admettre que notre concubinage nous a permis d'acheter une maison, ce que nous ne pouvions faire chacun de notre côté», avouent Caroline et Peter.

Envisagez les choses comme s'il s'agissait d'écologie. Comme la flore alpine ou les orchidées, nous dépendons de notre environnement, de notre position pour nous épanouir. Nous bâtissons nos vies, choisissons notre appartement, notre travail, notre partenaire, nos passe-temps selon ce qui nous convient. En modifiant cet entourage, on crée un déséquilibre qui nous affecte, ainsi que notre partenaire.

Les personnes interviewées savaient ce qu'elles désiraient, ce qu'elles consentaient à modifier et ce qui devait rester tel afin qu'elles vécussent heureuses. Elles traçaient à leurs partenaires un dessin complet et ensemble ils se créaient un environnement propice à leur épanouissement mutuel.

Comment ceci peut-il vous aider? Vous pouvez d'abord tracer le plan de votre vie afin d'évaluer votre situation et de déterminer si une relation affective s'inscrit dans l'ordre des choses. Nous procédons ainsi au début de nos ateliers pour que les participants réfléchissent à leur situation.

Que vous soyez au début d'une relation ou bien seuls, un court exercice remettra de l'ordre dans vos idées. Si vous entretenez une relation, évaluez ce qu'elle vous apporte et ce qu'elle gêne. Votre conjoint peut procéder à une telle réflexion intérieure, de sorte que vous puissiez ensuite discuter de vos découvertes.

Le Travail

Que l'on tienne un emploi de neuf à cinq ou que l'on élève ses enfants, le travail occupe presque tout notre temps.

Quelle importance revêt-il à vos yeux? Seriez-vous prêts à abandonner votre emploi si l'être cher se présentait? Votre partenaire ne devrait-il pas plutôt comprendre que votre travail est lié à votre identité et à votre amour-propre?

Le partenaire doit-il faire face à des problèmes reliés au boulot? Peut-il aider à les résoudre? Nous sommes des bourreaux de travail et nous sommes conscients que peu de gens tiendraient le coup en travaillant aussi tard que nous tous les soirs. Ensemble, nous nous motivons à continuer même si la caféine n'a plus d'effets sur nous.

Ce problème ne se pose pas pour qui ne travaille pas à plein temps. Par contre, les soucis financiers peuvent devenir une contrainte. Un partenaire qui aime dîner au Ritz-Carlton (si vous deviez régler l'addition) vous apporterait si vous manquez d'argent plus d'ennuis que de plaisirs.

L'Habitat

Où habitez-vous? Loin des foules effrénées ou loin de votre amoureux? Georges et Anna étaient célibataires lorsqu'ils se sont rencontrés au cours de vacances: rentrés, ils se fréquentaient seulement les fins de semaine. Ainsi, ils jouissaient de plus de temps et de liberté. Paul et Liz ont fait la navette toutes les fins de semaine pendant un an avant de concubiner pour remédier au problème de l'éloignement. Songez aux distances avant d'engager une relation; vous devez savoir jusqu'où vous êtes prêts à aller.

«Je ne pouvais plus supporter de vivre avec Christine, dit Peter. Nous étions en train de devenir cinglés.» Si vous avez besoin de beaucoup d'espace, soyez équitables face à votre partenaire et avouez-le-lui avant qu'il ne s'amène avec sa valise et sa brosse à dents. Si vous devez tenir compte d'autres restrictions, faites-en part à l'être aimé avant qu'il n'ait à en souffrir.

Comment un partenaire peut-il améliorer la qualité de vie à la maison? Tina a adoré jouer les décoratrices. Trevor a emménagé chez Eve à titre de colocataire, y a vécu à titre d'amant et chacun a bénéficié d'une meilleure qualité de vie. Il ne s'agit pas d'emménager chez quelqu'un afin de trouver un appartement, mais si l'occasion s'offrait, pourquoi ne pas l'accepter?

Le Temps libre

Deux minutes avant d'aller dormir? Chaque soirée ou toute la fin de semaine? Prenez note de vos moments libres et choisissez votre partenaire en fonction de la compatibilité de vos horaires respectifs.

Que faire de ce temps libre? Si vous êtes un fervent adepte du parachutisme, il vous faudra user d'arguments convaincants pour que votre partenaire partage votre engouement. John et Terri avaient connu nombre de déceptions car leurs conjoints ne partageaient pas leur goût pour les massages et le végétarisme. «Lorsque je me suis rendu compte que Terri s'intéressait à l'alimentation naturelle, je savais que nous pourrions nous entendre.»

Vous vous découvrirez peut-être de nouveaux intérêts auprès d'un conjoint. À cause de l'intérêt que Ian porte au cyclisme, Sue a appris à trente-six ans à faire de la bicyclette.

L'Entourage

Si vous vivez en ermite, vous risquez de ne partager votre vie avec personne. L'on est toujours surpris du nombre en dressant la liste de ses amis, parents et connaissances.

Quelle est la juste importance de tous ces gens? Vous pouvez passer le dimanche auprès d'une vieille tante ou aller déjeuner en compagnie d'anciennes flammes avec qui vous entretenez des relations presque platoniques. Votre nouveau partenaire devra démêler tout cela.

Vous devez décider quelles sont parmi ces relations celles que vous souhaitez poursuivre et celles auxquelles vous devez mettre fin. Un nouvel amour vous permettra de rompre avec certains indésirables et de réorienter votre vie sociale. Vous rencontrerez un tas de nouveaux-venus et vous porterez sur vos vieilles connaissances un regard neuf.

À présent que vous avez fait le tour de votre jardin, il vous faut déterminer ce que vous désirez offrir à l'autre en termes de temps, d'espace et de sentiments, les restrictions qui lui seraient imposées et l'aide que vous pourriez lui apporter afin que la relation soit satisfaisante pour chacun.

Quels sont les avantages qu'offre votre mode de vie? Il ne s'agit pas de ce que vous avez à apporter, mais plutôt des jours ensoleillés qui s'offrent à vous, de vos amis sincères ou du chalet dont vous disposez. Quelqu'un quelque part possède ce que vous recherchez et s'intégrera à votre existence avec la précision des pièces d'un puzzle.

Qu'est-ce que vous apporterait la présence d'un partenaire qui vit à votre mesure? «J'avais besoin de quelqu'un qui comprenne mon réel dévouement face à mon travail», explique Dave qui oeuvre auprès des jeunes défavorisés. «Mary s'est impliquée en moins d'un mois après notre rencontre.

Le premier passage consiste à insérer des chevilles rondes en des cavités circulaires. Tous ces témoignages démontrent que les particularités de nos modes de vie ajoutent plutôt qu'elles n'enlèvent à nos relations. Qui le désire peut toujours redéfinir ses priorités, tout abandonner et suivre l'être aimé sur les banquises de l'Alaska. Mais la planification et un certain pragmatisme permettront de trouver un partenaire qui convienne à nos besoins et qui se satisfera de ce qui peut nous sembler un désavantage.

Le second passage de l'amour :

se libérer des entraves du passé

Nous croiriez-vous si nous vous disions qu'une caméra enregistre tout ce qui vous passe par l'esprit depuis le moment de votre conception? C'est en quelque sorte la vérité. Dès les premiers instants de votre vie, vous avez enregistré des sons, des images et des sensations. Les battements de coeur maternels, l'odeur d'éther dans la salle d'accouchement, les premières visions embrouillées qui ont suivi : votre cerveau a tout capté et tout retenu.

Qui plus est, votre cerveau a tout retenu pour une bonne raison. Lorsque vous avez essayé de ramasser un objet tranchant ou de toucher les flammes dans l'âtre, vous avez eu mal. La caméra a tout enregistré et vous rappelle depuis de ne pas recommencer. Cependant lorsque vous avez demandé la tétée et que le bon lait chaud a apaisé votre faim, vous saviez d'ores et déjà que ce geste pouvait être répété.

Comme tous les gens autour de vous, enfant, adolescent ou adulte, la caméra continuait de tourner. Quand une grosse brute vous a asséné un coup au parc, quand maman vous a félicité après un concours, lorsque votre copine a reçu son premier *french kiss* au club de tennis, lorsqu'une connaissance s'est fait violer à la sortie d'un dancing, etc. Les expériences d'autrui vous ont autant appris que votre propre vie.

«Après notre rencontre, nous nous sommes aperçus combien la vie familiale nous avait façonnés. Je crois que cela nous a aidé à comprendre nos problèmes. Rose garde de son père le souvenir d'un homme qui ne la félicitait jamais de ses résultats scolaires, de sorte qu'elle se vexait dès que je ne la félicitais pas. Mes parents étaient divorcés et j'étais incapable de partager ou d'accorder ma confiance à quelqu'un. Rose m'a tout appris du partage et de l'amour.»

On retient ce que l'on apprend, qu'il s'agisse ou non d'une distorsion de la réalité. L'enfant qui voit les souffrances d'une personne brûlée frissonnera plus tard à la seule vue de quelques bûches empilées en prévision de l'hiver. La misère morale de Rose provenait de sa vulnérabilité face au comportement de Philippe, en plusieurs points semblable à celui de son père. De même, Philippe avait appris à ne pas se fier à ses parents; il jugeait donc son épouse indigne de sa confiance. L'inverse peut aussi être vrai. Le plaisir que l'on éprouve enfant à embrasser ses camarades deviendra peu à peu une prédisposition pour la chose sexuelle. Nous emmagasinons ces différentes données et lorsque nous sommes témoins d'une situation similaire, le vieux film nous ramène en terrain connu.

Une telle analogie avec le cinéma s'inspire de la réalité. Plusieurs font naître leurs pensées en concevant mentalement des images et des sons. Ils peuvent choisir certaines séquences d'événements vécus ou alors les imaginer à partir de ce qu'ils en savent. Voir sa soeur embrasser son amoureux, une bribe de conversation entendue au travail, autant de choses qui modifient nos conceptions et a posteriori nos sentiments.

Les sentiments changent parce que chaque son et chaque image nous transmettent un message codé relatif à ceux-ci. Chacun use de son propre code mais généralement les tendances sont les mêmes; ainsi on concevra des images floues et intimistes en songeant à l'être aimé. Si l'expérience nous apprend à ne plus être romantique face à quelqu'un, l'image se durcira et le son de sa voix deviendra plus strident.

«J'ai vécu plusieurs déceptions amoureuses dans ma vie. Quand j'ai connu John, nous avons attendu quelques semaines avant de faire l'amour parce que je me souvenais d'expériences précédentes et je revoyais des images sombres et noires. J'ai dû le regarder bien en face et me convaincre qu'il était différent. Les images se sont éclaircies et j'ai su que dorénavant je n'aurais plus à broyer du noir.»

À l'instar de Philippe et Rose, Terri a pris conscience des éléments du passé qui affectaient sa vie présente. Plusieurs amants avaient enseigné à Terri que les relations amoureuses sont décevantes et que l'on n'y peut rien. Elle y croyait à tel point que ses visions de l'avenir étaient modifiées en ce sens. Sa rencontre avec John a ravivé ses souvenirs d'amours déçus et les images de souffrance. Ses sentiments ont changé le jour où elle a reconnu que John était différent; de ce fait, ses images mentales ont retrouvé de l'éclat.

Après avoir compris le mécanisme de leurs réactions, chacun d'eux fut en mesure d'arrêter la projection du vieux film, de faire taire la musique et de modifier le scénario. Il ne s'agissait plus du passé mais bien du présent. Ils ont pris différents moyens d'y parvenir car ils savaient que de cela dépendait le succès de leur union.

Apprendre à déchiffrer les différents messages

Comment y parvenir? Mettre fin à la projection du film est la seconde étape. Il faut avant tout se rendre compte que la bobine tourne et que les messages jonglent en notre mémoire; on doit ensuite décider de les garder ou pas.

Pour ce faire, on doit dresser la liste des personnes qui peuvent nous avoir donné des messages sur nous-mêmes, sur nos partenaires ou sur l'Amour. Après avoir vu défiler cette liste et après avoir identifié les principaux acteurs de votre vie, réfléchissez aux moments passés en leur compagnie. Certaines images, certains mots vous viennent-ils à l'esprit? Avez-vous appris quelque chose sur l'Amour ou sur la manière de le favoriser? Vous pouvez n'avoir que deux messages: «Les gens mariés se disputent sans cesse!», «L'amour physique résout tous les problèmes.». Dressez la liste des acteurs de votre vie.

Les messages sont généralement communiqués par des individus, mais ce n'est pas toujours vrai. Plus nombreux sont les individus, plus les messages sont clairement énoncés. Voir un ami pleurer après une déception engendre la tristesse. Voir deux amis pleurer n'est déjà plus une coïncidence. Après avoir connu plusieurs coeurs déçus, vous n'oublierez plus de sitôt les dangers émotifs inhérents à l'Amour.

Plus les acteurs ont fait leur entrée tôt dans notre vie, plus leurs messages nous font de l'effet. Les parents sont ceux qui nous apportent une pléthore de ces messages car leur propre exemple nous est servi tous les jours dès le plus jeune âge. Les jeunes gens apprennent donc que leurs aînés, lorsqu'ils sont amoureux, s'entraident et échangent de l'affection — ou alors ils se fâchent et deviennent malheureux.

Eleanor et Frank ont réagi contre leurs parents oppressifs en se donnant la liberté de tout laisser à la traîne chez eux. Ils habitent une maison de quatre étages pleine de la cave au grenier et vivent heureux ainsi.

En plus du père et de la mère, la parenté influe sur chacun de nous sans que l'on en soit conscient. Plus on est près d'eux, plus leur influence se fait sentir. La soeur de Jane fut embrassée contre son gré le soir de sa première partie. «Je n'ai pas semblé contrariée mais chaque fois que j'y songe, je ressens un malaise. Je ne peux pas souffrir que l'on m'embrasse.» Lorsque le moment présent lui rappelle le passé, les messages refont surface et avec eux la nausée.

La culture peut aussi provoquer de ces chocs. Si votre entourage — parents, professeurs, amis et religieux — croyait qu'une relation doit se nouer par raison plutôt que par la passion, vous risqueriez de penser, à l'instar de Beela, que le respect entre époux est plus important que l'amour. Que l'amour est source d'ennuis. Ainsi, vous pourriez être plus heureux que Karen qui a perdu sa virginité à seize ans afin de répondre aux attentes de la prétendue révolution sexuelle. Si les médias vantaient les mérites de la promiscuité, vous auriez raison de confondre amour et luxure.

Les amis d'enfance peuvent influer négativement les messages. On peut discuter pendant des heures d'elle ou de lui : les regards échangés à l'arrêt d'autobus, le bonjour qui procure de l'énergie pour toute une semaine, etc. Mais nous devons tous composer avec le doute et l'ignorance. Souvent les problèmes d'un adulte prennent leur source dans les mauvais conseils qu'on lui a prodigués à l'adolescence. «Tu ne risques pas de devenir enceinte si tu le fais debout»; «Si tu es jaloux, c'est que tu es amoureux».

Il semble que les plus sages conseils et les plus grandes preuves d'affection viennent de ceux qui ont consolé nos malheurs, qui nous ont rassuré alors que nous doutions, qui nous ont réconfortés dans le malheur avec la sagesse qui naît d'expériences heureuses et malheureuses. «J'ai discuté durant deux heures avec lui et à la fin, il m'a regardée sans me donner de conseils, en disant simplement : «Tu y arriveras.» J'aurais pu lui sauter au cou.»

Au début d'une relation amoureuse, les ouï-dire deviennent réalité. Quatre possibilités peuvent en découler : l'estime de soi peut augmenter ou s'effondrer ; l'estime que vous portez à l'autre peut suivre les mêmes courbes. Si des amants attentionnés et sincères vous avouent que vous êtes une maîtresse exceptionnelle, votre égo s'en portera mieux et vous aurez une meilleure estime de vous-même. Le contraire peut entraîner des problèmes d'ordre sexuel chez les deux sexes, dont l'impuissance chez l'homme. L'incompréhension, les partenaires mal assortis, les erreurs peuvent réprimer la confiance que vous portez à autrui, alors que des expériences positives vous feront croire à l'indissociabilité du couple.

Décider de ses priorités

Après avoir décrypté le type de données qui nous ont façonnés, l'on est en mesure de se poser quelques questions. Quelles données vieilles de trente ans dictent toujours votre comportement ? Quelles sont les croyances que vous n'avez jamais remises en question parce qu'elles vous furent inculquées par un aîné en qui vous aviez totalement confiance? Quels événements vous ramènent à l'enfance, même si quarante ans plus tard vous êtes en mesure d'y faire face?

Quelles sont parmi ces données celles auxquelles vous tenez encore? Précisez celles dont vous êtes fiers, celles pour lesquelles vous êtes prêts à vous battre, celles qui vous grandissent, qui libèrent votre potentiel émotionnel. Réfléchissez à chacune de ces données, imprégnez-en votre mémoire, jouissez de votre propre estime.

Décelez quelles sont les données qui vous minent, vous limitent et vous contraignent. Qu'est-ce qui vous rend irréaliste face aux forces et aux faiblesses de votre partenaire ? Vous cherchez peut-être à les éloigner, pourtant elles reviennent sans cesse. On présente encore et encore les mêmes vieux films. Vous comprenez peut-être pourquoi vous confondez votre amant et votre père et pourquoi vous ressentez les mêmes sentiments qu'à l'enfance. Mais que faire afin d'effacer les anciennes images ?

On peut simplement s'exclure de la scène. Revoir en spectateur ce qui nous est arrivé peut nous aider à mieux comprendre et, de ce fait, modifier notre angle de perception. Si vous entendez un message dont vous vous passeriez volontiers, écoutez-le à l'envers à quelques reprises. Il vous apparaîtra différent s'il revient. On n'est plus en mesure d'apprécier un film lorsque le projecteur ne fonctionne pas.

On peut rompre avec le passé en l'inondant du présent. Votre partenaire peut-elle vous aider en vous prévenant que vous la confondez avec une ancienne flamme ? Pouvez-vous aider votre conjoint en lui disant qu'il n'est pas obèse, même si ses compagnons de classe le traitaient de gros lard à la petite école ? Discuter de ces données et de leurs origines aide à les exorciser.

En connaissant tous les éléments de la situation, choisissez le film que vous voulez visionner, celui qui vous offrira à tous deux les données permettant une fin heureuse.

Le troisième passage de l'amour :

Tirer parti de son individualité

Imaginez-vous appartenant à une rare espèce animale en voie d'extinction, disons une sorte de panda géant. D'ici au plus soixante-dix ans, votre race sera décimée. Pour l'instant, non seulement êtes-vous un rare spécimen, vous êtes unique. Les scientifiques pourraient recourir à la parthénogénèse afin de produire vos clones, mais il leur serait impossible de recréer l'être unique composé de la somme de vos expériences.

Intéressez-vous davantage à l'être fait sur mesure que vous êtes. Vous aurez quelquefois du mal à vous convaincre que votre identité puisse être un atout. Pourquoi une bedaine ferait-elle votre fierté? Pourquoi se vanterait-on d'être ennuyeux? S'inspirant de tels arguments, on évite la véritable question en établissant des comparaisons. Chez certaines civilisations, un tour de taille imposant est signe de prospérité et de succès. Le mutisme peut devenir une qualité en temps de négociations, alors que le silence et l'écoute deviennent des vertus. Ce qui fait de vous l'être que vous êtes constitue toujours un avantage.

«À vingt-six ans, j'étais convaincu qu'aucune femme ne voudrait jamais de moi. Tout ce que je faisais clochait par rapport à mon entourage. Je ne concevais pas que l'on puisse s'enticher de moi, alors je vivais refermé sur moi-même. Un jour, j'ai confié à ma concierge — je la connaissais depuis toujours — que j'étais un drôle d'oiseau. Elle a semblé éberluée puis elle m'a corrigé : «Vous voulez dire qu'il n'y en a qu'un comme vous!» C'était une autre façon d'envisager la chose. La semaine suivante, elle était devenue ma compagne!»

Dave a compris que les qualités et les défauts sont des étiquettes que l'on s'appose soi-même (ou que les autres nous apposent). Si on décolle l'étiquette sur laquelle est écrit «excentrique» et qu'on la remplace par «génial-e», l'angle de vision devient différent. Le troisième passage tire profit de votre caractère unique.

Chacun doit pouvoir lire mentalement ce qui est écrit sur l'étiquette. On croira celui qui avoue ne pas savoir cuisiner s'il agit en conséquence; de même, les panses seraient repues après le dîner cinq étoiles que vous auriez servi à vos invités. Si vous croyez à votre talent, les autres y croiront aussi. Peu importe le prix inscrit sur l'étiquette, on consentira à le payer. Les embrassades et les compliments seront monnaie courante.

Quelles sont vos forces?

Comment en arriver à reconnaître ses propres mérites? Prenez votre temps pour y réfléchir. Si une voix intérieure vous répète que vous n'avez rien à offrir et que le buffet a besoin d'être ciré, astiquez plutôt votre estime de soi et votre amour-propre. Ce lustre vaudra mieux que celui de l'acajou.

Au besoin, appelez du renfort. Qui est en mesure d'avouer sans détours pourquoi il recherche votre compagnie ? Votre amie d'enfance, vos enfants ou le collègue à qui vous avez enseigné à utiliser l'ordinateur ? À partir de l'opinion que vous avez de vous-même, amenez votre entourage à révéler ce qui constitue votre force.

Votre corps
Qu'avez-vous de beau ? Quelles parties de l'organisme sont en santé ?

Votre intelligence
Quelles idées, quelles sensations et quelles joies vous réserve-t-elle ?

Vos émotions
Quels sont les sentiments qui vous émeuvent et vous ravissent ?

Vos réalisations
Qu'est-ce qui fait votre fierté ?

Vos talents
Êtes-vous habile face aux autres ? Avec les mots ? Avec des outils ?

Après avoir dressé la liste de vos atouts, l'image que vous avez de vous sera redorée. «Je me sens bien auprès de mes enfants, confie Barbara. Je sais que je suis unique à leurs yeux et que personne ne peut prendre ma place.» Vous aussi êtes unique. Votre univers diffère totalement de celui des autres. Vous êtes unique parce que vous jetez sur la vie un regard différent.

Les expériences de l'enfance modèlent notre manière d'interpréter les événements. Nous voyons et entendons les choses différemment. Très tôt nous portons un jugement de valeur sur leur importance.

Regardez les jeunes enfants s'amuser dans un parc public. Remarquez ceux qui accourent les premiers aux balançoires, aux glissoires ou vers les autres enfants. À l'âge de quatre ans, ils ont déjà établi leurs priorités, ce qu'ils aiment ou détestent, ce qui leur fait peur. Observez les adultes au cours d'une réception. Remarquez ceux qui les premiers se dirigent vers le buffet et le bar. Prêtez l'oreille à leurs propos et vous verrez comment les expériences passées ont façonné d'unique manière ce qu'ils sont devenus.

«On perd toujours ses amis après un divorce», témoigne de ce qui lui est arrivé. «La seule chose qui m'importe est la situation financière de mon partenaire», reflète une priorité. «Nous sommes trop vieux pour coucher ensemble», révèle l'opinion que l'on a de soi.

Afin de mieux cerner votre vision des choses, invitez un-e ami-e et discutez d'une expérience commune. Enregistrez la conversation puis écoutez la bobine par la suite. En prêtant bien attention, vous remarquerez que certaines caractéristiques se dégagent de vos propos, de vos priorités, de vos conceptions. Relevez les mots que vous employez pour décrire vos sentiments. Avez-vous «les idées noires» ou vous faites-vous «du mauvais sang»? Quelles sont donc ces caractéristiques?

D'où viennent vos différences?

Déterminez ce qui vous différencie des autres. En écoutant attentivement l'enregistrement, vous remarquerez que les choses auxquelles vous faites allusion sont autres que celles auxquelles se réfère votre interlocutrice. Lorsque vous aurez de la compagnie, écoutez ce que les autres diront puis écoutez vos propos. Vous distinguerez ce qui différencie votre univers du leur, ce qui vous importe de ce qui les intéresse. Les mêmes choses peuvent vous intéresser ou vous laisser froid. Un monde peut vous séparer.

Cette constatation risque de vous rebuter. On est souvent fasciné par ceux qui ont accès à ce à quoi on aspire;

par contre, on peut craindre ceux qui ont du monde un reflet différent du sien. Cette peur s'estompe vite quand on sait que de cette dualité naît notre unicité ainsi que la leur.

«Kim ne me ressemble pas du tout. Elle dresse la liste des choses à faire, elle planifie nos activités plusieurs semaines à l'avance. Cela la sécurise. Moi, je vis au jour le jour. Cela aurait pu poser un problème, mais nous avons tôt reconnu qu'à ce sujet nous étions différents. J'apprécie ses listes de projets et elle estime ma spontanéité.»

Paul avait suffisamment confiance en ses propres qualités pour ne pas se sentir menacé par la différence. Il a mis en pratique le troisième passage afin de voir les choses sous un autre angle et a accueilli leurs divergences avec assurance.

Notre unicité provient de ce que nous nous développons différemment selon notre entourage. Les pattes effilées de la gazelle protègent sa vie en lui conférant vitesse et agilité; le blanc de baleine protège le mammifère cétacé contre le froid.

Les tactiques en vue d'éviter le patron peuvent sauver quelqu'un des heures supplémentaires; la coquille dans laquelle s'enferme votre amoureux peut résulter des rejets dont il a été l'objet au cours de l'enfance. Le camouflage auquel on a recours trouve sa raison dans le désir de vouloir protéger son identité propre.

Votre unicité vous confère une valeur inestimable. Personne ne peut se vanter d'avoir à offrir les mêmes choses que vous. Les couples se font à partir de l'union de deux identités uniques. Le sens de l'organisation de Sue allié à l'imagination de Ian a donné naissance à un nombre de projets qui leur ont fourni du travail. Le dynamisme de Jane associé à la stabilité de Malcolm a généré un équilibre familial pour leurs deux fillettes.

Alors prenez grand plaisir à vos qualités rarissimes. Un être tel que vous est aussi rare qu'un panda géant. Quiconque vous connaît peut en remercier le ciel. Que cette confiance en soi vous motive à trouver ce que vous appréciez chez quelqu'un. Mettez votre unicité à profit afin de rencontrer un être aussi exceptionnel que vous!

Réflexions sur le troisième passage

1. De quoi parlez-vous?
2. Portez-vous de l'intérêt à:
   a) ce qui était (choses;
   b) ce qui est (activités);
   c) qui y était (personnes);
   d) l'endroit où cela eût lieu;
   e) le moment où cela eût lieu.
3. Portez-vous davantage intérêt à autrui ou à vous-même?
4. Savez-vous cerner les avantages et les inconvénients d'une situation?
5. Portez-vous plus attention aux relations humaines ou aux réalisations?
6. Portez-vous plus attention à ce qui compose une situation ou à ce qui en est absent?
7. Remarquez-vous davantage les similarités ou les différences?
8. Lorsque vous parlez, essayez-vous d'amasser des renseignements sur les idées ou les principes exprimés simplement pour en connaître davantage ou parce qu'ils pourraient vous être utiles dans l'avenir?
9. Vous avez beaucoup parlé du passé parce qu'il était question d'un souvenir. Mais à quoi portez-vous de l'intérêt: au passé, au présent ou à l'avenir?
10. Quels mots utilisez-vous pour décrire ce qui se passe en vous? Faites-vous référence à vos souvenirs imagés ou aux émotions que vous ressentez?

III
Qu'espérez-vous d'une relation amoureuse?

Ce chapitre traite des besoins propres à chacun. Nous verrons que ce terme a une mauvaise connotation et qu'au niveau affectif, ces «besoins» sont souvent jugés inadmissibles par une société bien-pensante.

Le quatrième passage consiste à intellectualiser ce qui se passe en chacun lorsqu'il désire et lorsqu'il n'en est rien; il aide à différencier ce qui est souhaitable de ce qui ne l'est pas, et il permet de faire le point sur ses attentes face à quelqu'un.

À partir du moment où l'on a décidé de ce que l'on souhaite, il faut s'abstenir des compromis. On doit choisir un partenaire qui corresponde aux exigences que l'on s'est fixées et qui nous désire vraiment. Le cinquième passage souligne certains aspects problématiques et propose des solutions. Surtout, entretenez les relations qui vous font envie et évitez celles qui ne vous semblent pas souhaitables.

Le quatrième passage de l'amour :

savoir ce que l'on veut

Avez-vous désappris les règles du désir? Vous les avez pourtant déjà maîtrisées, même s'il y a de cela très longtemps. Les enfants n'ont aucunement le sens de l'abnégation. Le foetus réagit sans hésitation à toute source de plaisir et un poupon s'inquiète à l'idée de devoir partager le sein maternel. Les enfants connaissent l'art d'absorber les choses positives (il peut s'agir d'un rayon de soleil ou d'un sourire) et savent éviter les expériences négatives (un mécontentement ou un objet tranchant). Quand vient le moment de choisir entre ce qu'ils souhaitent et ce qu'ils désirent éviter, ils n'ont pas à réfléchir longtemps. Ils savent d'instinct.

En grandissant, ce type de message leur vient de l'extérieur et s'infiltre en eux. «Je m'en fiche pas mal, si ça ne te tente pas!», lance-t-on au bambin en larmes. «Tant pis si tu n'aimes pas ça, tu dois le manger!», ordonne-t-on à l'enfant sur sa chaise haute. Plus tard, on lui apprendra à laisser aux autres la dernière part de gâteau, ainsi qu'à confondre certains avertissements instinctifs. Cela est nécessaire afin de s'adapter au monde extérieur. Par contre, à force de les nier, on risque d'oublier ses goûts et ses envies.

À l'âge où l'on quitte la tutelle parentale, on peut très bien ne plus savoir de quoi on a envie. Le fragile rouage des sensations et des images mentales dictant nos réactions et nos émotions peut être rouillé tant il a peu servi. D'autres sont très sensibles à leur environnement et peuvent acquiescer ou refuser sans gêne et sans culpabilité. Il n'est cependant pas toujours aussi facile de trancher.

Il en va de même pour une relation amoureuse. Savez-vous quel type de partenaire vous désirez? Peut-être vous trouvez-vous égoïste de tant vous intéresser à vos propres besoins alors que vous devriez porter plus d'intérêt aux besoins de l'autre? D'autant plus que si vous dressez une longue liste de prérequis, vous risquez d'effrayer les candidat-e-s potentiel-le-s.

Pourtant nous portons sans cesse des choix, que nous en soyons conscients ou non. Il vaut mieux savoir ce que l'on veut avant de faire son choix, que d'être guidé par l'opinion d'autrui. Être conscient de ce qui nous convient permet d'envisager une relation durable. Inversons les rôles un moment. Que préférez-vous? Quelqu'un qui sait ce qu'il veut et qui s'intéresse à vous? Ou quelqu'un qui n'en sait rien et qui se sert de vous pour le découvrir?

Écoutez votre corps

Comment savoir ce que l'on souhaite? Tina y est parvenue en étant réceptive aux messages que lui envoyait son corps.

«Durant très longtemps, je n'ai pas su ce que je voulais. Je fréquentais Stuart depuis six mois mais je n'étais pas heureuse. J'étais épuisée, sans cesse malade, prise de nausées et de diarrhée. Un jour, je me suis aperçue que cette relation ne m'allait pas. Mes malaises n'avaient rien à voir avec mon alimentation.»

Tous ne réagissent pas aussi fortement que Tina à une situation précaire. Mais le milieu ambiant rejoint l'esprit par le truchement du corps; ce dernier nous fournit donc un tas de précisions sur notre situation, à savoir si elle nous convient ou pas.

Songez à quelque chose que vous avez accompli avec ferveur. Qu'il s'agisse de la décoration d'une pièce ou de la signature d'un contrat, votre corps a participé de la joie en un instant de soulagement et d'excitation. Ce pincement au coeur peut n'avoir duré qu'une seconde, mais vous l'avez ressenti. «Je pense d'abord à ce dont j'ai envie, puis je ressens une sorte de consentement intérieur», avoue Maggie. De même, si on fait quelque chose qui ne nous convient pas, tout notre organisme s'en ressentira et nous le fera savoir. Un malaise à l'estomac, une sensation de lassitude à la seule pensée de la tâche à accomplir. Ces signes de l'organisme servent un avertissement.

Souvent, nous en faisons fi. Nous passons outre ces signes avertisseurs en ayant recours aux notions d'égoïsme, de devoir ou de compétence. Ces signes peuvent disparaître par force de volonté, de conviction. Par contre, si le problème s'envenime et si l'on persiste à vouloir l'ignorer, l'organisme ne se lassera pas d'émettre des avertissements de plus en plus convaincants (insomnie, distraction, nausées, etc.).

À défaut de vous convaincre de la sorte, l'esprit entrera en jeu afin de vous forcer à comprendre. Si vous n'avez de cesse d'échouer à quelque chose, votre subconscient sait peut-être qu'un succès serait catastrophique. «Je savais que quelque chose n'allait pas, mais je ne pouvais pas mettre le doigt dessus», confie Rick. «J'essayais de maintenir une relation stable mais en vain. Puis je me suis rendu compte que je désirais voyager plus que tout.»

L'opposé existe aussi : cet emportement charnel qu'accompagne la certitude d'avoir rencontré l'âme soeur. L'euphorie, l'énergie sont des composantes de l'amour naissant, de la même manière que la complicité est l'attribut d'un vieil amour. Voilà les recours dont se prévaut l'organisme afin de vous signifier que vous avez fait le bon choix.

Déchiffrer les messages

On peut ressentir les messages de l'organisme sans pour autant comprendre leur signification. Par exemple, on chemine aux côtés de l'être aimé sans que tout tourne rond. Que manque-t-il pour connaître le bonheur? Les retenues édifiées par l'entourage entre soi-même et ses propres désirs peuvent empêcher l'exécution de ces mêmes désirs.

Nos propres images mentales et les secrets que l'on se confie à soi-même révèlent davantage. Les personnes interviewées connaissaient maintes manières de découvrir ce qui leur seyait. Katie doutait de son envie de faire l'amour avec Joe ; elle a vu mentalement un mur de briques qu'elle ne pouvait franchir. Quand elle put enfin accorder toute sa confiance à Joe, l'image se transforma ; elle entrevit l'autre côté du mur. Joe l'y attendait. Frank connaissait Eleanor depuis deux ans sans qu'il ne s'avoue son sentiment amoureux à son égard.

«Je me trouvais dans un dancing. Elle était là, attablée avec des amis l'autre côté de la piste de danse. Tout au long de la soirée, je me suis senti mal à l'aise sans savoir pourquoi. Enfin une voix intérieure m'a dit : «Parce qu'elle est avec eux et non pas avec toi.» À ce moment, j'ai su que j'avais besoin d'elle.»

Si vous doutez de ce qui vous convient, laissez votre esprit vous en convaincre. Cessez un instant de considérer les influences extérieures pour vous tourner vers votre intériorité. Écoutez-la. Elle en connaît davantage que vous ne le croyez sur vos désirs. Voyez les différences et les similarités qui existent entre votre partenaire et vous. Les différences sont plus évidentes; d'elles naît le chavirement du coeur lors de la première rencontre.

«Ian semblait si indépendant», dit Sue. «J'ai vite vu ma propre vulnérabilité et ma dépendance légendaire. J'ai voulu connaître son indépendance.»

Ce désir de connaître quelqu'un différent de soi a souvent animé les conversations des individus que nous avons rencontrés. Alexandre semblait détendu et maître de soi-même; l'enthousiasme débordant de Lynn lui faisait envie. Eve l'intuitive voulait connaître un homme logique et pragmatique tel que Trevor. Plusieurs sont attirés par un être possédant les qualités compensant leurs propres défauts et la force équilibrant leurs faiblesses.

Les Différences et les similarités

Plusieurs couples doivent fonder une relation stable sur une multitude de similarités. Si l'on parle de cohabitation quotidienne, la bonne entente naît de goûts, de buts et d'opinions plutôt semblables. Eleanor et Frank admettent: «Nous aimons passer nos vacances en auberges de jeunesse et assister aux représentations de ballet. Nous sommes tous deux libraires et très désordonnés. Nous nous convenons parfaitement.» Qu'il s'agisse d'hypothèque ou de régime d'épargne-action, les partenaires doivent regarder ensemble dans la même direction.

Nous verrons ultérieurement que ce délicat équilibre entre les différences et les similarités constitue le succès ou l'insuccès d'un couple, après que soient passés les premiers émois. Trop de points communs attirent l'ennui. Trop de différends sèment la discorde. Considérez toujours cet équilibre en réfléchissant à ce dont vous avez envie.

Dressez avec précision la liste de ce que vous souhaitez trouver en l'autre. D'ordinaire, le vocabulaire rattaché à l'amour est plutôt vague : romance, dévouement, engagement, fidélité. Comment les définissez-vous? Que représentent-ils pour l'être aimé?

«Lorsque nous nous sommes rencontrés, Ian m'a avoué qu'il avait besoin d'être materné. J'ignorais si le maternage était l'un de mes atouts, mais j'ai décidé de tenter le coup... Puis il sombra dans la dépression. Je me suis empressée de lui préparer de bons repas et de repasser ses chemises. Il s'en montra fort étonné. Pour moi, le maternage signifiait «popote et ménage»; Ian avait seulement envie de ne pas toujours être celui à qui reviennent les décisions.»

L'esprit de chacun définit un concept selon ses propres critères. Vus les antécédents de Ian, materner équivalait à lui permettre sa vulnérabilité; pour Sue, il s'agissait de préparer la bouillotte et le thé.

Nos parents, les feuilletons télévisés, les romans à l'eau de rose et les magazines féminins véhiculent parfois des conceptions faussées de ce qu'est l'Amour. En vérité, son expression diffère pour chacun. «Tu ne m'aimes pas», grogne Joanna en se couchant après une autre querelle, songeant avec mélancolie aux dîners à la chandelle et aux baisers volés. «Non, c'est toi qui ne m'aimes pas!», lance David en ruminant la lâcheté de sa compagne qui ne cherche que des faux-fuyants plutôt que d'affronter la vérité. Ils ont tous deux raison et tort à la fois.

Gare aux raisonnements simplistes

Il serait rassurant, quoique erroné, de croire que si l'autre répond à notre principale exigence, alors il comble tous nos besoins. La sexualité, la stimulation intellectuelle, le réconfort d'une épaule sont autant de joies après un long célibat ou un concubinage avec un partenaire qui niait ces envies. Cependant, à nous préoccuper d'un seul de nos besoins, on laisse les autres en plan, ou alors on les confond entre eux. Liz recherchait la sécurité après une première union qui l'avait rendue craintive. Plusieurs hommes lui ont offert cette sécurité que procure la domination. Enfin, elle s'aperçut qu'elle avait besoin de réconfort et de soutien; elle put ainsi disposer des partenaires qui abusaient d'elle physiquement.

Lorsqu'un désir prépondérant a guidé une relation, une fois celui-ci satisfait, celle-là n'aura peut-être plus sa raison. La première amourette dans laquelle on se lance à seule fin de perdre sa virginité, la confiance qui doit resurgir après un échec marital, la collègue de travail qui nous pousse à faire des heures supplémentaires, toutes ces situations ne visent qu'à combler un besoin. Elles s'évanouissent alors que le besoin s'estompe.

Ce que je recherche chez mon/ma partenaire

«Tous deux avions connu des déceptions et nous en avions ras-le-bol d'être d'éternels insatisfaits. Pure coïncidence, chacun de nous avait dressé la liste de ses espérances; les miennes appartenaient à mes résolutions du Nouvel An. Je recherchais quelqu'un qui partage mes intérêts, avec qui je pourrais communiquer, qui s'intéresserait aux diètes et aux massages. En nous rencontrant, ce fut le coup de foudre; nous avons ensuite échangé nos listes. Leurs similarités étaient étonnantes.»

Dresser la liste de ses priorités n'a pas fait sortir Terri du chapeau de John, pas plus que cela ne garantissait le coup de foudre ou un avenir rose. Ce faisant, il a conscientisé ce qu'il attend d'une relation; lorsque Terri fit son apparition, il fut en mesure de reconnaître en elle ce qu'il voulait et de l'apprécier pleinement.

Nous avons adapté leur liste aux besoins de chacun; vous devriez y jeter un coup d'oeil avant d'établir vos priorités.

Convenez de ce que vous voulez pour chacun des sujets proposés. Réfléchissez à ce qui vous importe ou pas. Vous déplairait-il qu'une relation en soit exempte ? Quelles sont les questions vitales absentes de votre liste ? Certains de vos besoins pourraient-ils être comblés par l'amitié plutôt que par l'amour ?

Une fois les prérequis trouvés, identifiez les points plus importants sans lesquels toute relation ne trouverait pas de sens. Établissez ensuite vos priorités. Par exemple, si la camaraderie vous importait plus que la sexualité, vous ne rechercheriez pas la même chose qu'une personne qui estime le contraire.

Lorsque vos priorités sont claires, décidez la manière dont vous souhaitez vivre chacune. Que feriez-vous si vos espoirs se concrétisaient ? Que ferait votre partenaire ? Pensez en termes précis. Si par « soutien » vous entendez « faire la lessive », dites-le. Un autre définira le concept en parlant de conseils ou en offrant de payer les frais d'inscription à l'université.

Cette réflexion permettra de définir clairement vos désirs. De plus, vous pourriez réapprendre à désirer librement comme vous le faisiez dans la petite enfance. Vous commencerez à connaître la véritable satisfaction face à votre vie, à ce que vous en tirez et aux traitements qu'elle vous réserve.

Vous saurez déchiffrer aussi les messages négatifs, les mises en garde ; telle requête, telle objection, telle personne ne vous conviennent pas. Sans l'empressement d'un enfant ou le spleen de l'adolescent, vous apprendrez bientôt à reconnaître ce qui vous est bénéfique et à vous éloigner des ennuis assurés.

Réflexions sur le quatrième passage

Attraits physiques
— À quoi ressemble le/la partenaire idéal/e?
— Quelles qualités physiques (i.e. l'âge, la force, etc.) vous importent davantage?
— Quelles qualités physiques vous empêcheraient de nouer une relation?

Qualités intellectuelles
Classez ces qualités en ordre d'importance à vos yeux:
— esprit pragmatique;
— intelligence;
— créativité;
— sens de l'organisation.

Quelles autres qualités intellectuelles ont de l'importance?

Réalisations
Chacun accomplit quelque chose. Dans quel domaine souhaitez-vous que votre partenaire ait réussi (i.e. le sport, l'étude, les arts, etc.)? Certains accomplissements trouvent-ils plus de mérite à vos yeux?

Attitudes
Est-ce important que votre partenaire adopte certaines attitudes face à différents sujets (i.e. la religion, la politique, etc.)? Si cela vous importe, quelles attitudes lui souhaitez-vous voir adopter?

Attitude envers la vie
À quel type de personne désirez-vous vous lier (i.e. turbulente, calme, sensible, affairée, etc.)?

Centres d'intérêt
Accordez-vous de l'importance au fait que votre partenaire partage vos intérêts? Si oui, quels sont-ils?

Vie sociale
Dans quelle mesure votre partenaire devra-t-il/elle participer à votre vie sociale?

Dans quelle mesure faudra-t-il que votre partenaire vous initie à sa vie sociale?

Sexualité
Votre partenaire devra-t-il/elle avoir certains intérêts sexuels particuliers (i.e. hétérosexualité, lesbianisme, etc.)?

Quelle attitude votre partenaire devra-t-il/elle adopter face à la sexualité (i.e. continence, tendresse, domination, etc.)?

L'Avenir
Buts — Lesquels de ces buts votre partenaire doit-il/elle se fixer et lesquels vous répugnent ouvertement? Gloire, fortune, pouvoir, réalisations importantes, famille, vie calme, plaisirs simples.

L'Avenir éloigné
Dans quelle perspective devra-t-il/elle étendre ses projets (i.e. une semaine, un an, une vie, un millénaire)?

Votre partenaire devrait-il/elle songer à de grandes réalisations ou ne s'intéresser qu'au caractère pragmatique des choses?

Les Besoins et les envies de l'autre
Que doit-il/elle espérer d'une relation?
Qu'est-ce qui vous importe chez l'autre?

Ce que j'attends d'une relation
Engagement à long terme — Quelle durée souhaitez-vous pour cet engagement (une nuit, une semaine, tous les jours, etc.)?

Espace ambiant
Quel arrangement souhaitez-vous en ce qui a trait à l'espace dans lequel vous vivez (i.e. vivre ensemble, ne pas l'inviter chez vous, etc.)?

Partage des ressources
De quelle manière envisagez-vous de partager vos ressources (i.e. lui offrir votre paye, lui prêter l'auto, etc.)?

Engagement officiel
Quel serait l'ultime engagement qui couronnerait votre union (i.e. mariage, enfants, concubinage, etc.)?

Quels sont les autres aspects qui vous importent lorsque vous engagez une relation?

Le cinquième passage de l'amour :

choisir quelqu'un qui a ce que l'on recherche et qui recherche ce que l'on a

On peut tenter une analogie entre une relation amoureuse et un casse-tête chinois. Alors que toutes les pièces sont à peu près imbriquées, l'ensemble peut tenir ou s'écrouler. Quand toutes les pièces s'emboîtent, le résultat est formidable. Il en est de nous comme des casse-tête chinois. Nous sommes un tissu de désirs et d'envies, de forces et de faiblesses. Cela va pour chacun de nous : le laitier, maman, le voisin d'en face ou nos amours mortes. Si vous portez votre choix sur quelqu'un dont les attributs vous conviennent, vous jetez ainsi les fondations d'une relation qui vous satisfera tant que vous en aurez envie.

Si seuls quelques morceaux s'emboîtent — à la rigueur de surcroît — vous connaîtrez assurément des déceptions ou alors votre vie ne sera que compromis.

Certains aspects revêtent un caractère fondamental pour qui sait ce qu'il veut ; par exemple, le sexe du partenaire et son âge. Certaines gens font preuve d'une étonnante ouverture d'esprit à ce sujet, alors que d'autres tirent un trait entre ce qu'ils considèrent acceptable ou non. On peut se moquer en lisant dans les pages de messages personnels qu'un candidat recherche une partenaire âgée entre 32 et 44 ans. Cependant, établir une relation avec quelqu'un de trente ans son aîné ou son cadet demande beaucoup de courage.

Qu'est-ce qui importe ensuite? Généralement, l'apparence physique. On n'entrerait pas chez un concessionnaire automobile en disant : «Je veux celle-ci parce qu'elle est rouge pompier!» Pourtant, on va à la discothèque en songeant : «Je veux la blonde là-bas!» Les antécédents entrent ensuite en jeu. Est-il originaire de la même ville ou a-t-elle fréquenté une école supérieure? Les études, le boulot, le temps écoulé depuis le divorce. Ces questions servent à vérifier si la personne avec qui vous dansez vous sera étrangère lorsque la musique se sera tue.

La personnalité compte pour beaucoup si on envisage les choses sérieusement. Recherchez-vous la stabilité ou désirez-vous seulement vous amuser? Avez-vous besoin de soutien ou de quelqu'un qui ne s'intéresse pas à vos affaires? Vous pouvez déterminer le type de partenaire qui vous convient à partir de vos propres besoins, de vos désirs et de vos opinions. «Je voulais rencontrer un homme confiant et décontracté, raconte Lynn. J'ai parcouru la pièce du regard et j'ai vu Alexandre.»

Rencontrer l'âme soeur peut s'avérer une expérience fantastique. Tout notre être nous prévient que l'autre correspond à nos attentes, qu'on devrait le suivre au bout du monde. Tina a connu un tel sentiment.

«Il était venu visiter ma colocataire et je suis restée bavarder avec eux. Nous avons parlé pendant près de deux heures, au bout desquelles je savais qu'il était tout ce que j'aimais. Il était épris d'une autre femme à cette époque, mais nous sommes devenus amis. Je savais qu'il était l'homme dont je rêvais. Un an plus tard, nous sommes devenus amoureux et, finalement, nous nous sommes mariés.»

Tina a recherché quelqu'un répondant à ses aspirations afin d'augmenter ses chances de bonheur. La chance était au rendez-vous. Les pièces du puzzle entraient les unes dans les autres. (Nous saurons plus tard que les choses n'étaient pas aussi aisées pour son partenaire.) Toutefois, un candidat peut répondre à plusieurs de nos aspirations sans nécessairement les satisfaire toutes. Où est la marge entre ce qui convient et ce qui est trop peu?

À seize ans, la seule volonté peut nous combler. Le fait que quelqu'un accepte de passer la soirée du samedi en notre compagnie nous rend tout aise. À vingt-six ou quarante-six ans, on s'accorde plus de valeurs et nos attentes s'ajustent en conséquence. Les besoins varient cependant d'un individu à l'autre. Ce qui constitue pour certains une raison de se marier peut devenir pour d'autres une cause de divorce.

«Mon mari me porte du respect et il a un emploi stable. Il est gentil avec les enfants. Je m'estime chanceuse», avoue Bela. «Vivre avec moi n'est pas de la tarte, prétend Ric. Je cherche une femme qui aime voyager, qui me prêtera beaucoup d'attention et qui devra demeurer seule même les fins de semaine.»

Déterminez un minimum d'exigences

Quelles sont vos exigences minimales afin de retenir une candidature? Quels standards considérez-vous avant de vous lancer à l'aventure? Une réflexion permet de déterminer les exigences en-deça desquelles on ne retient aucun nom. On peut s'y repérer les jours orageux afin de placer les choses en perspective. Le choix est uniquement vôtre lorsque vous rencontrez quelqu'un qui ne répond pas à vos attentes. Il est toujours temps de vous rappeler vos avantages et de continuer à chercher le partenaire idéal, ou alors vous pouvez investir dans cette relation en espérant la rendre plus satisfaisante.

N'oubliez pas qu'une relation ne vous apportera pas nécessairement tout ce que vous recherchez. Le casse-tête chinois est constitué de plusieurs morceaux dont le partenaire n'est qu'un des constituants. Il est injuste d'exiger de quelqu'un ce qu'il ne peut donner. N'entamez aucune relation avec lui et tirez satisfaction de rapports familiaux, amicaux ou professionnels. Dans ce cas, ne comptez que sur vous-même pour combler vos besoins.

On noue une relation afin de donner autant que recevoir. Il serait vain de jeter son dévolu sur quelqu'un qui peut se passer de nous. Seul un plaisir masochiste peut nous amener à s'énamourer d'un être qui ne nous estime pas à notre juste valeur. Il peut heureusement ne s'agir que d'une passade. La valeur que chacun s'accorde, de même que les goûts, est purement subjective. On peut se sentir infériorisé/e si notre partenaire a la cuisse légère; par contre, il/elle peut se croire dévalorisé/e si l'on confie ses finances à un tiers.

Le désir et le refus

Le fait de désirer ce que l'on a et d'obtenir ce que l'on souhaite peut engendrer de nombreuses permutations liées au désir et au refus. Celles-ci peuvent conduire à la déception mais il n'est pas impossible de renverser la vapeur.

Il se peut qu'aucun de vous ne désire l'autre. Une telle vie de couple aboutit assurément dans une impasse; toutefois, l'un des couples interviewés connut de tels débuts :

«Nous nous sommes déplus au premier regard. C'était en fait plutôt rigolo. Nous jouions ensemble au théâtre et chacun tentait de porter ombrage à l'autre. Puis au cours de la réception qui suivit la dernière représentation, nous avons beaucoup discuté pour ainsi découvrir que nous avions un tas de choses en commun. Depuis, nous sommes ensemble.»

On doit souvent une apparente incompatibilité au contexte. Dans le cadre professionnel, Lucy et Mark se disputaient comme chien et chat. Par contre, leurs intérêts et leurs objectifs étaient les mêmes; lorsque la rivalité a cessé, l'harmonie s'est établie. Les pièces du puzzle s'emboîtaient mais dans une perspective différente. Tous les couples ne connaissent pas pareille chance; mais si rien ne va, on ne perd rien au bout du compte.

La défaite survient quand l'un désire l'autre qui reste indifférent à cette attente. Lorsqu'on fait l'objet de l'attention de quelqu'un qui nous indiffère, on se tient sur la défensive face à tant d'ardeur. «Il me tournait sans cesse autour, raconte David. Un jour, je lui ai donné ma façon de penser. Pendant trois semaines, je n'ai pas fermé l'oeil à cause de la promptitude de ma réaction.»

David aurait eu davantage de soucis s'il n'avait pas été honnête. Réfléchissez bien si vous vous sentez coupable à l'idée de repousser quelqu'un. Cette personne pourra-t-elle jamais répondre à vos aspirations? Dans la négative, n'hésitez pas à être franc et direct. S'il ne fait aucun doute que vous ne désirerez jamais quelqu'un, dire «oui» ne fera qu'ajouter à son agonie morale.

La misère morale pèsera sûrement sur celui qui désire en vain. Quelqu'un peut-il comprendre de telles souffrances sans les avoir lui-même connues? La voir s'amuser avec son copain, le coeur au bord des lèvres, ou le regarder partir en voyage avec ses camarades...

Un revirement de situation n'apparaît pas impossible. Les facteurs fluctuants en ce cas sont vous-même et l'autre personne. Permettez-nous toutefois une mise en garde. Il est quasi impossible de modifier l'opinion que l'autre se fait de nous s'il ne le veut pas. De même, si vous prétendiez être quelqu'un que vous n'êtes pas, votre moi véritable referait un jour surface — quelquefois après quinze années de vie commune — et ne tolérerait plus d'être ignoré.

Quelqu'un peut encore changer d'idée. L'homme que Tina reconnut comme le sien croyait qu'elle n'était pas la femme pour lui.

«Au début, je voyais en elle une amie. À mes yeux, elle ne correspondait pas à celle avec qui je voulais partager ma vie. Ses antécédents différaient des miens et je croyais qu'elle ne pourrait s'adapter à mon mode de vie. Puis les choses sont apparues sous un jour nouveau. Je me suis rendu compte que ce qu'elle avait à m'apporter en tant que compagne et amante importait davantage que la conception que je me faisais d'une épouse.»

À prime abord, Alan ne voyait pas en Tina ce qu'il cherchait. Il ne noua pas de relation avec elle. En révisant ses positions, il changea d'idée. Lorsqu'il s'aperçut que Tina répondait à ses besoins, il se sont mariés. Alan changea d'avis du jour au lendemain. Par contre, James se chargea de faire changer Helen d'idée.

«Je ne souhaitais pas un compagnon à cette époque. Mon travail occupait tout mon temps et une relation intime aurait accaparé mon énergie. Cependant, James s'intéressait beaucoup à ma carrière; il m'a convaincue que je pourrais concilier amour et travail.»

Afin de convaincre l'autre que l'on serait le partenaire idéal, il faut découvrir ce qui lui importe. Si vous pouvez satisfaire ce besoin (appui professionnel, plaisir, stabilité) sans solution de compromis, son désir pour vous redoublera. Si vous parvenez à découvrir ce qu'elle craint de perdre suite à une éventuelle relation avec vous (sa vie sociale, des voyages à l'étranger, sa virginité) et que vous entreprenez une relation sans justifier ses appréhensions, ses objections initiales s'envoleront en fumée.

L'autre vous convient-il?

Une méthode permet de découvrir si votre partenaire — actuel ou éventuel — vous convient. Dressez la liste de ce qui vous importe lorsque vous engagez une relation amoureuse. Sélectionnez ce qui vous semble vital et que vos parents et amis ne peuvent satisfaire.

Réfléchissez à savoir si votre partenaire — actuel ou éventuel — remplit ces conditions. Ce qui sonne juste ou faux l'est en réalité souvent. Une sensation de gêne et de malaise s'empare de vous lorsque vous imaginez un tel dans vos bras; c'est la manière dont votre corps vous prévient qu'il n'est pas pour vous. Le déclic ressenti lors d'une heureuse association nous prévient qu'on a fait un bon choix.

La personne à laquelle vous rêvez depuis longtemps n'est peut-être pas celle qui ferait votre bonheur. On peut découvrir que l'être idéal a beaucoup en commun avec celui qui vit auprès de soi. Ou alors que l'on préfère ne pas se réveiller tous les matins avec la créature de ses rêves.

Si vous vivez avec quelqu'un, demandez-lui cet examen de conscience et comparez vos listes de priorités. Si vous vous communiquez vos désirs, vos points communs et vos différences, vous apprendrez à vous connaître davantage. À partir de cela, vous aurez de meilleures chances de former un couple inséparable.

Même si votre partenaire descendait d'une lignée aristocratique et s'il répondait à vos moindres exigences, cela n'exclurait pas que la situation puisse changer. Nous verrons plus loin que ni vous ni eux n'êtes exempts de changement. «À vingt ans, je recherchais quelqu'un qui puisse s'occuper de moi et me redonner confiance», dit Tricia au sujet de son premier mari. «À trente ans, il n'avait pas changé, alors que moi si. Je le trouvais dominateur et casse-pieds.» J'ai vu mon dernier amant accéder à un poste de direction, il n'a vécu que pour son travail et m'a laissé en rade. Je n'avais plus de place dans sa vie», explique Hughes. Tant de choses peuvent éloigner les partenaires.

Il était ici question de faire des choix et non des compromis afin de sauver les meubles. En étant conscients de ce que vous désirez, il n'y a aucune raison pour que vous ne fassiez pas un choix judicieux. Ne choisissez surtout pas un pis-aller. Évaluez les formes concaves et convexes, placez les morceaux et le puzzle apparaîtra clairement. Avec de la patience, vous viendrez à bout du casse-tête chinois.

IV
Favoriser l'intimité

On consacre les premiers mois d'une relation à établir une intimité entre l'autre et soi-même. De ce rapprochement on tire un grand bonheur et un soutien moral unique. Si vous envisagez une relation à long terme, il ne suffit pas de se rapprocher et d'établir la confiance pour voir l'accomplissement de cet idéal. La communication est la base même de toute relation. Le sixième passage touche les modes de communication, non seulement au niveau de l'écoute et du dialogue, mais au plan émotif. Comment tirer le plus grand profit de toute communication?

Ce que l'on ressent face à quelqu'un naît du fait que l'on reconnaît en lui une âme soeur. Cependant, l'intimité se tisse aussi à partir des différences. Savoir reconnaître sa propre unicité ainsi que celle de l'autre et l'utiliser afin de satisfaire les attentes de l'un et l'autre, voilà qui constitue le septième passage.

Il est quelquefois difficile d'établir cette intimité, en particulier lorsqu'un lourd passé porte ombrage au présent. Les différences peuvent entraîner le désarroi; on peut se fâcher pour un rien.

Les conseils prodigués ici valent pour tous les temps de la relation, à partir du jour un. Ayez-y recours afin de développer et consolider vos liens affectifs, ou alors pour y mettre fin si c'est la chose indiquée.

Le sixième passage de l'amour :

communiquer clairement

Au mieux la communication s'établit entre les partenaires avec la douceur d'un slow. On se rejoint, on répond aux gestes de l'autre et on réagit harmonieusement à ses mouvements. À la tombée de la nuit, lorsque la bouteille de chianti est vide, ou pendant les conversations matinales au petit déjeuner, règne la bonne entente, du fait que l'on se sait compris et que l'on comprend l'autre.

La communication est essentielle à une relation heureuse. Si diverses relations font appel à des stratégies différentes, aucune d'elles ne tiendrait si les partenaires ne communiquaient pas d'une manière satisfaisante pour chacun. «J'ignore ce que je ferais si je ne pouvais pas parler à Caroline», avoue Peter. «Je la quitterais, je crois.»

En quoi consiste ce mode de communication pourtant nécessaire? De pensées et de sentiments. La communication opère lorsqu'un partenaire parle, que l'autre écoute et qu'il enregistre l'expérience de l'autre avec ses propres images. Ils communiquent pleinement lorsqu'ils mettent fin à un argument avec bonne humeur, même s'ils sont en désaccord.

Qu'est-ce donc qui rompt le charme? Comment en vient-on à s'écraser les pieds? Il semble que le manque de conscience de soi-même et de l'autre soit la plus grande faille des couples. Il entraîne l'incompréhension de l'autre, les désagréments inévitables parce qu'il est souvent trop tard lorsqu'on réalise que rien ne va plus.

«Dès le début, nous avons essayé de comprendre nos signaux respectifs. Robert et moi avions tous deux un assortiment complexe d'indices — le ton de la voix, un geste particulier, etc. — qui signalaient notre état intérieur ou le problème qui nous minait. Nous avons mis du temps à décrypter ce langage corporel, mais à présent je sais s'il a envie de discuter ou s'il souhaite que je le laisse seul.»

Nicki et Robert ont cherché à comprendre la signification de leurs gestes au-delà de ce qu'ils disaient. Souvent les mots ne sont que la pointe de l'iceberg; sous l'eau se cache une masse d'euphorie, de dépression, d'insécurité. La manière que l'on a de se tenir, de parler, d'agir peuvent en dire davantage que les mots qui meublent la conversation.

Savoir regarder et écouter

Où poser les yeux? Comment prêter l'oreille? En premier lieu, il faut apprendre à se taire. Pendant que l'autre parle, vous arrive-t-il de préparer mentalement votre réponse avant même qu'il n'ait terminé sa phrase? Si oui, ce qui suit s'adresse à vous. La prochaine fois que l'autre parlera, faites taire votre voix intérieure et écoutez-le. Vous pourriez apprendre à son sujet des choses que vous ne soupçonniez pas. De quelle manière exprime-t-il ses états d'âme? Connaissez-vous tous les signaux qu'elle émet?

Inutile de comparer ses signaux à ceux d'un autre. Le sourire de votre premier mari annonçait la colère, tandis que celui de votre amant actuel témoigne de sa bonne humeur. Essayez plutôt de déceler si son rire est forcé; lorsque vous l'entendez rire ainsi de nouveau, vous saurez qu'il transmet un important message.

En ateliers, nous proposons aux participants de regarder et d'écouter leurs partenaires afin de comprendre leur comportement. Les personnes seules peuvent faire de même avec un/e ami/e ou quelqu'un auprès de qui ils souhaitent se rapprocher. Prenez note de ce que vous voyez et entendez lorsque l'autre semble heureux, colérique ou maussade.

Les Choses faites en vitesse

Il s'agit de mouvements brusques, rapides qu'il faut étudier de près. Voici quelques exemples : une inspiration bruyante, un signe de tête qui acquiesce ou refuse avant que les mots soient prononcés, une voix entrecoupée, des joues rosées, une tension aux épaules, à la poitrine, à l'estomac.

Le Regard et le visage

Presque tous les messages que nous émettons proviennent du visage; exemples : la forme des yeux qui se modifie, un regard hautain ou honteux, l'agrandissement ou le rétrécissement (subtil, il est vrai) de la pupille, le sourire, le froncement des sourcils, les contractions de la bouche, les grimaces, etc.

La Posture

On peut souvent connaître les émotions de quelqu'un en considérant son maintien. L'affaissement, le rythme de la respiration, la démarche, le recroquevillement en disent long sur l'état intérieur d'un individu.

Le Timbre de la voix

Une conversation téléphonique peut permettre de jauger l'état émotif de son interlocuteur. Un débit rapide, une voix de basse, un timbre de castrat, un discours hésitant, l'emphase accordée à certains mots traduisent ses émotions.

«Je sais lorsque Sue hésite à propos de quelque chose; son regard devient absent, ses yeux immobiles. Puis elle louche un peu, d'abord d'un oeil ensuite de l'autre; on dirait qu'elle pèse mentalement les partis qui s'offrent à elle. Lorsque son choix est fait, elle me regarde droit dans les yeux et recommence à parler.»

Avoir la conscience de l'autre et de soi-même. Les deux importent autant mais il nous faudrait un miroir pour y voir notre attitude.

Ne vous souciez pas des vétilles, comme les contractions aux commissures des lèvres ou l'incarnat du teint lorsque vous parlez. On ne remarque pas ces choses dans le feu de la discussion. Intéressez-vous plutôt à la manière dont vous tournez une mèche de cheveux lorsque vous êtes agité, ou à la façon dont vous haussez la voix quand on vous contrarie. Ce genre de détails vous sera très utile. Vous verrez poindre les conflits à l'horizon et, de ce fait, vous serez en mesure de les éviter.

Les Signaux intérieurs

Par-delà ces signes physiques, la conscientisation des signaux intérieurs assure la paix et le respect de l'ordre entre les êtres. La lecture de ce livre vous sensibilise peut-être davantage au mécanisme régissant les émotions. La joie provient peut-être d'un léger picotement à la colonne vertébrale, la colère d'une tension aux épaules et l'amour se ressent au niveau de la cage thoracique. En être conscient permet de redoubler son contrôle des émotions. S'il en est de même chez votre partenaire, la conscientisation de vos sentiments se trouve du coup quadruplée!

«Je suis rarement consciente de mon corps lorsque nous discutons. Si John dit quelque chose que je perçois comme une menace, je sens des papillons à l'estomac. À présent, j'en suis consciente et je sais fort bien que si nous ne passons pas à autre chose, comme nous rapprocher ou régler le différend, alors je vais me mettre en colère.»

Terri a appris à reconnaître ses propres signes intérieurs; lorsqu'ils se manifestent, elle a le choix de réagir ou de se quereller. Plusieurs optent pour la dispute mais cette dernière n'engendre pas la communication. La sensation de malaise annonce le danger chez ceux qui refusent de poser des gestes concrets. Les embrassades, les sourires, les commentaires humoristiques ou les verres de vin sont autant de tactiques favorisant un cessez-le-feu lorsque la situation s'envenime.

Les Messages confus

Les tensions et frustrations chez soi-même ou chez l'autre ne sont pas toujours évidentes, à cause de la confusion de nos émotions. On hésite souvent à accepter une invitation. L'autre se sent partagé à l'idée de faire un voyage sans vous. Cette confusion au niveau émotif provient d'un fort désir d'honnêteté allié à une crainte d'être repoussé. Prenez garde aux nombreuses contradictions entre ce qui est dit et ce que l'on voit. Elle peut sembler détendue en vous apprenant qu'elle ne pourra venir dîner ce soir. Ou alors ce regard fuyant au moment où il vous répète combien il vous aime.

De tels messages sèment la confusion chez chacun des protagonistes. Il est difficile de déterminer laquelle des émotions est sincère lorsqu'on en ressent deux à la fois. Quiconque voit son partenaire s'établir en une telle dualité souffrira d'insécurité. Qui serait confiant devant un partenaire qui ignore ce qu'il veut?

On peut triompher d'une telle ambivalence en reconnaissant que l'on est en présence de deux esprits. Admettre vos doutes annihilera vos propres craintes, de même que celles de l'autre face à vos sentiments. Un aveu direct admettant ses propres hésitations vaut mieux qu'un message confus qui nous laisse seul face à nos angoisses. «Richard est davantage en mesure de me comprendre lorsque je lui dis sans détours comment je me sens, plutôt que de me préoccuper de l'idée qu'il se fera de moi.»

Se parler honnêtement

La conscientisation n'est pas qu'affaire d'indices et de signaux subtilement dissimulés. Au regard et à l'écoute on peut associer le dialogue et les questions. Permettre à l'autre d'entrer dans notre monde afin de partager conjointement nos expériences facilite d'autant la communication et le rapprochement.

«Je lui demande souvent à quoi il pense et Ian me raconte ce qui lui passe par la tête. Quelquefois il me décrit tout, même les images qu'il voit et les sons qu'il entend. Je suis encore étonnée des choses qui nous différencient, malgré nos nombreuses ressemblances.»

Si vous souhaitez une démonstration éloquente de ce qu'est la communication entre deux êtres, asseyez-vous avec votre partenaire ou un ami. Discutez d'un incident commun, par exemple une soirée à laquelle vous avez tous deux assisté.

Écoutez l'autre et laissez-le vous emmener dans son univers intérieur. Il s'intéresse peut-être à l'aspect thématique alors que vous accordez davantage d'importance à l'aspect humain; son monde en est peut-être un de sons alors que le vôtre est visuel. Si vous êtes assez intimes pour lui poser des questions, demandez-lui de décrire ce qui se passe en son esprit. Faites-lui révéler comment elle se représente les couleurs, le rythme, les images et leur précision. Un souvenir obscur à ses yeux brillera peut-être davantage pour vous. Peut-être se souviendra-t-elle clairement de certaines conversations alors que vous aurez oublié vos propres paroles. Demandez-lui ensuite de décrire ses sentiments, comparez ses souvenirs aux vôtres, évaluez vos projets communs; l'intensité d'une telle communication vous étonnera.

De quoi l'autre parle-t-il — de choses, de gens, d'activités, d'endroits ou de points du temps? S'intéresse-t-elle aux détails et comment lui seront-ils utiles? Quel type d'images voit-elle mentalement? «Je vois une longue côte à remonter.» Une telle remarque en dit long sur son monde intérieur et sur ses concepts psychiques.

Poussons plus avant. Songez à un film que vous avez vu sans votre partenaire. À partir des goûts que vous lui connaissez, parlez-lui du film de façon à susciter son intérêt et son enthousiasme. Si vous mettez de l'emphase sur les événements alors qu'elle retient l'aspect humain, racontez-lui le suspense que vous avez vu, les événements, en accordant beaucoup d'importance aux personnages (éléments humains). Si elle aime les couleurs vives, racontez-lui la scène ensoleillée située dans les Alpes plutôt que lui décrire celle du night-club enfumé qui vous a tant plu. Procédez ensuite au même exercice en sens inverse. Votre partenaire peut-il retenir votre attention en racontant un film que vous n'avez pas vu?

Éventuellement, vous mettrez cette connaissance de l'autre à profit afin de lui faire comprendre ce que vous essayez de lui communiquer depuis longtemps.

Si vous avez l'intention de faire un pas de danse ensemble, vous y parviendrez de cette façon, même si le rythme ne s'y prête pas. Peu importe qui conduit et qui suit, qui décide des pas et du rythme, le tango se dansera toujours à deux. Si vous savez écouter et regarder l'autre, vous aurez droit à la médaille d'or des champions de tango et au prix Nobel de la paix!

Réflexions sur le sixième passage

1. Quels sont les sujets de conversation de votre partenaire?
2. S'intéresse-t-il davantage à :
   - ce qui fut (choses);
   - ce qui se passe (activités);
   - qui s'y trouvait (personnes);
   - où cela eut lieu (endroits);
   - au moment où cela eut lieu.
3. S'intéresse-t-elle davantage aux autres ou à elle-même?
4. Cerne-t-il les avantages ou les inconvénients d'une situation donnée?
5. Que remarque-t-elle davantage : comment les gens s'entendent entre eux ou ce qu'ils accomplissent?
6. Que remarque-t-il davantage : ce qui contribue à une situation ou ce qui en est exclu?
7. À quoi accorde-t-elle plus d'importance : aux similitudes ou aux différences entre les gens, les endroits, les situations?
8. En conversant, accumule-t-il de l'information pour le plaisir de la chose, pour les idées et les principes émis ou bien ne conserve-t-il que ce qui risque de lui servir?
9. Elle parle probablement du passé lorsqu'il est question de souvenirs. Règle générale, s'intéresse-t-elle davantage au passé, au présent ou à l'avenir?
10. Quel vocabulaire utilise-t-il afin de décrire le langage de son intellect? Décrit-il des images, des émotions qui le secouent ou se parle-t-il à lui-même?

Le septième passage de l'amour :

se rapprocher de l'autre

Au premier regard, lorsque l'autre nous fascine, on remarque aussitôt nos similitudes; on est faits pour vivre ensemble. La proximité entre deux êtres est alors aussi naturelle que la respiration. Quelque temps après, cette même proximité devient malaisée. On découvre qu'il n'aime pas la même musique, on est gêné par ce corps étranger dans le lit. La passion et les émotions nous emportent mais cela n'empêche pas certains fossés de se créer. Les chercheurs connaissent bien cette peur qui suit l'euphorie d'une découverte.

On se rapproche en prenant plaisir aux choses qui nous distinguent. Après avoir évalué ce qui nous différencie, on est en mesure de le surmonter en apprenant à l'apprécier. Voilà qui résume le septième passage.

À l'instar des morceaux du casse-tête chinois, ce sont les dissemblances de forme qui permettent aux pièces de s'emboîter. Nous sommes souvent attirés par les êtres qui nous sont complémentaires : un timide rencontre une volontaire, un taciturne, une personne d'une vitalité débordante, un prudent une insouciante, etc. Mais l'essence même de cette complémentarité engendre des divergences qui risquent de refroidir les ardeurs initiales. Si c'est le cas, l'on doit reconnaître que la compatibilité n'existerait pas sans ces différences.

«J'étais attirée par la force d'Elizabeth, par sa façon logique de voir les choses, par son côté terre à terre. Elle m'offrait quelque chose d'étranger à mes émotions et à mon énergie. Lorsque ses opinions m'agacent, lorsqu'elle devient froide et insensible aux misères d'autrui, je dois me rappeler que cela fait partie de notre pacte.»

Chacun des partenaires est unique. On peut s'y frotter et s'y piquer, cela ne change rien à sa forme.

Dévoiler son monde intérieur

Si vous apprenez à connaître la forme exacte de votre partenaire, ses rondeurs concaves et convexes, vous deviendrez de plus en plus proches. Vous saurez d'abord comment elle agit et vous en tirerez profit. Si sa façon d'agir diffère de la vôtre, elle vous surprendra peut-être. Vous pourrez répondre à ses besoins si cela n'exige pas de nombreux compromis et si, ce faisant, vous ne vous sentez pas menacé. Vous pouvez façonner votre monde de sorte qu'il corresponde au sien.

Débutez votre exploration de l'autre en sachant que vous êtes le dernier venu dans sa vie. Même si vous la connaissez depuis la tendre enfance et si vous êtes son premier amant, d'autres facteurs ont fait d'elle l'être qu'elle est. Rappelons simplement que nous sommes les produits des événements antérieurs, des messages passés et des gens que nous avons rencontrés. Votre partenaire s'est fait tout un cinéma dans sa tête qui pourrait alimenter le Festival des films du monde pendant un siècle. Ces images ont fait d'elle qui elle est, ont contribué à l'idée qu'elle a de l'amour ainsi qu'à ses réactions envers vous.

Plusieurs personnes interviewées ont avoué qu'au premier stade d'une relation, une telle exploration permet la compréhension et le rapprochement.

«Robert résumait sa relation précédente en disant: «Chaque chose en temps et lieu». Nous en avons beaucoup parlé. J'ai alors compris ce qui l'avait amené à se faire une telle idée, et c'est ainsi que j'ai pu déterminer pourquoi il réagissait à la sexualité comme il le faisait.»

Beaucoup de liens se tissent lorsqu'on parle des événements antérieurs à la rencontre. Comme des enfants qui partagent un secret, on murmure sur l'oreiller ce qu'on n'a jamais confié à qui que ce soit de ses pensées intimes et ses sentiments cachés. On peut connaître l'opinion que les parents de l'autre se faisaient du mariage, ce que sa grande soeur lui a appris de la sexualité, comment il a perdu sa virginité, comment elle a pris la décision de se faire avorter. On peut se rapprocher davantage de l'autre en l'aimant à partir de ces révélations.

On peut faire davantage qu'écouter. En étant amoureux, on peut recréer le plus grand amour qui soit: celui que prodiguent les parents à leurs enfants. Certains se souviendront d'une enfance malheureuse et sans amour. D'autres parleront des jours heureux passés auprès de parents conciliants. La vie de couple permet de créer ou de recréer ce genre de situation.

«Souvent, nous nous amusons comme des enfants. Nous jouons à nous faire des câlins, à nous cajoler, à donner son bain à l'autre. C'est formidable de retrouver l'enfance et de se faire bercer. Cesser de grandir de la sorte, ne serait-ce qu'un instant, me permet de faire face au monde extérieur.»

Que reste-t-il aujourd'hui de ce qui fut dans le passé? Les événements passés modifient nos opinions, nos croyances, nos attentes, enfin tout ce qui jette les fondations de notre monde intérieur. Aux premiers temps de la relation, de telles attentes ne sont pas évidentes; on n'en fait pas une conversation de discothèque. Quelque temps après, on est fort surpris de constater combien les vues de l'autre diffèrent des nôtres. Croit-il véritablement que les vacances dans le Sud drainent son énergie? Comment peut-elle se croire grosse? Comment peut-il penser qu'une relation est faite de compromis? Que les disputes sont positives? Que le concubinage freine la liberté?

Savourer les différences

En constatant avec étonnement que l'autre aurait pu grandir sur Mars, n'oubliez pas qu'il vous est étranger. Son monde est différent du vôtre. Il se sent aussi étranger à votre univers que vous au sien. Une fois cela compris, on réduit d'autant la distance entre chacun.

La divergence d'idées au sein d'un couple entraînera à coup sûr des différences quant aux priorités. S'il croit que l'amour trouve son aboutissement dans la famille, il voudra sûrement avoir des enfants. Si, à ses yeux, le mariage de ses parents a échoué à cause de leur infidélité, elle recherchera avant tout honnêteté et fidélité. Ce qui vous apparaît comme des banalités revêt peut-être beaucoup d'importance pour votre conjoint, et vice versa.

«Jusqu'au jour où j'ai rencontré Maria, Mexico n'était pour moi qu'un point sur la carte. Au cours de nos fréquentations, j'ai appris un tas de choses sur cette ville car elle y est née. J'y ai donc porté de l'intérêt parce que Mexico était importante pour elle. Nous y sommes allés pour le mariage et c'est alors que je m'y suis véritablement intéressé. Depuis, ma conception de la ville a changé; l'idée d'y retourner me rend fou de joie et j'ai pris plusieurs coutumes mexicaines.»

Il se peut que vous ne soyez nullement intéressé à ce qui importe à l'autre. Si le dîner de Noël en famille vous donne la nausée, voyez-y un signe d'incompatibilité. Quelquefois cependant, les contraintes imposées par l'autre deviennent une force motrice pour soi-même et ajoute une nouvelle dimension à la vie. La meilleure manière de se rapprocher de quelqu'un consiste à partager ses intérêts, ses passe-temps, à connaître sa profession, ses amis.

Si ses centres d'intérêt vous laissent indifférents, abordez-les sous un jour qui vous semble intéressant. Vous n'êtes pas obligée de jouer au base-ball tout l'été, mais une fin de semaine à la campagne facilite de façon agréable le rapprochement. Sue a décidé de retourner au cours de ballet après un intervalle de trois ans; Ian l'y a accompagnée le premier soir et s'est astreint aux exercices à la barre afin de savoir de quoi il retournait. «Je ne me croyais pas obligé d'y retourner par la suite, mais Sue se sentait soutenue et moi, je me suis amusé.»

Pour Ian, le plaisir est important. Il a assisté au cours de ballet (important pour Sue) parce qu'il en tirerait du plaisir (important pour lui). On peut appliquer ce principe à la relation émotive. On ne partage pas seulement les objectifs de l'autre afin de lui plaire, mais également parce que ceux-ci nous motivent. Votre partenaire peut se rendre à une soirée parce qu'il prend plaisir à danser, alors que vous aimez davantage discuter avec les autres invités.

«Caroline travaille tard le soir parce qu'elle le veut ainsi et parce qu'elle a horreur de ne pas respecter les délais prévus. Je reste debout pour l'aider par pure gentillesse et parce que j'aime la voir heureuse de mon geste.»

Les choses exercent des attraits différents sur chacun, tous autant que nous sommes. Ce qui peut constituer une motivation pour l'un peut repousser l'autre. Chacun réagit différemment à son environnement. La compréhension que vous avez des choses peut lui paraître comme une confusion. Les projets d'avenir que vous formez peuvent ne pas susciter son enthousiasme. Ce qui la rend heureuse ou maussade peut vous laisser froid. Imaginez la tangente que prendrait votre relation si vous connaissiez vos divergences et si vous appreniez à les surmonter sans heurts...

La Conscientisation au jour le jour

Certaines choses de plus ou moins grande importance peuvent favoriser le rapprochement entre deux êtres. Étudiez le comportement journalier de votre partenaire et déjà vous constaterez quelques-unes de vos différences. En regardant miroiter le soleil sur une rivière, vous pouvez être sensible aux oiseaux passereaux, au paysage, au gazouillis de l'eau, tandis que l'autre songera à l'endroit où a été usiné le pétrolier qui fend la houle.

On se rapproche de l'autre en sachant ce qui retiendra son attention. S'il s'intéresse à l'aspect humain, parlez-lui de vos collègues plutôt que des ennuis que vous cause l'ordinateur. Par contre, s'il entend quelque chose à la mécanique, l'ordinateur fournira un bon sujet de conversation. Si elle constate toujours le côté positif d'une situation, faites-lui plaisir en racontant les événements heureux de votre journée. Pourtant, «je peux tenir Kim rivée à son fauteuil en lui faisant part de mes ennuis, parce qu'elle ne voit jamais que les problèmes.»

Étant donné que le monde intérieur est propre à chacun, tout ce que vous ferez n'intéressera pas nécessairement votre partenaire. Sachant cela, vous pouvez choisir de partager avec lui seulement les choses qui l'intéresseront, tout en ayant conscience que son manque d'intérêt ne signifie pas un manque d'amour. Ainsi, vous vous rapprocherez davantage.

Tournons-nous à présent vers l'imagerie intellectuelle. Nous savons comment fonctionne l'esprit, en fabriquant des images, des sons et des sentiments qui renseignent l'organisme et qui assimilent nos ruminations intellectuelles. Vous êtes l'unique assemblage de votre passé et de votre présent. Il en est ainsi de votre partenaire. Votre conception des choses diffère sûrement de la sienne et cette différence peut sembler énorme. L'expérience peut lui avoir enseigné à pousser des sons disgracieux pour témoigner de son excitation. Danser dans une boîte de nuit correspond peut-être à l'idée qu'elle se fait d'une soirée calme, alors que vous préférez un tête-à-tête à un restaurant. Vous pouvez ressentir le bonheur au niveau de l'estomac, alors que chez l'autre la sensation est intellectuelle. Nos intériorités sont essentiellement différentes, ce qui engendre souvent l'incompréhension. Que faire en pareille situation?

«Quand nous avons emménagé dans le même appartement, Maggie avait la nausée à la seule vue des couleurs vives. J'aime les couleurs primaires; plusieurs coussins sur mon divan-lit étaient bleu, jaune ou rouge. Je ne comprenais pas pourquoi Maggie devenait agressive lorsque je parlais de ces coussins. Nous nous sommes rendus compte qu'elle imagine les gens contre qui elle est emportée avec une palette de couleurs vives. Ainsi, elle se sent colérique et menacée lorsqu'elle voit de telles couleurs. Une fois ce problème conscientisé, nous avons décoré l'appartement en tenant compte de nos besoins respectifs.»

Afin de tenir compte des besoins de chacun, on doit d'abord considérer ses propres conceptions et réactions par rapport à l'entourage. Maggie et Simon éprouvaient quelques difficultés face aux apparences. D'autres se font un problème de l'étroitesse du matelas ou du haussement de la voix.

Différentes conceptions du toucher peuvent entraîner une distanciation entre les partenaires d'un couple. Un toucher brutal peut rassurer l'autre mais vous sembler menaçant; lui dire allégera considérablement votre fardeau. Si votre partenaire n'aime pas être touché à certains endroits ou de certaines manières à cause d'expériences précédentes, il faut savoir qu'il ne vous rejette aucunement.

Aimez-vous que l'on vous étreigne solidement ou doucement comme un bébé? Apprenez à distinguer ce qui vous convient ou non, à partir des messages émis par votre corps.

Satisfaire les besoins de l'autre

Le rapprochement passe par la découverte de ce qui convient à chacun et la réponse à ces mêmes besoins. Pour ce faire, il existe une méthode permettant de découvrir comment l'autre conçoit le monde; elle s'intéresse à ses souvenirs, son opinion de lui-même, ses priorités, ses motivations, sa compréhension des choses, ses rêves, le fonctionnement de sa pensée, les couleurs et les sons qu'elle préfère, ce qui le rend heureux ou malheureux.

Posez-lui les questions et notez ses réponses. Ne percevez pas chaque réponse comme une menace issue de ses différences, mais plutôt comme une constituante de son unicité qui apporte du sang neuf à votre relation. Inversez les rôles afin que l'autre vous pose les questions.

Pour ce faire, choisissez un moment de détente et de bonne humeur; ainsi vous ne vous sentirez pas menacés par les choses qui vous gênent.

Entreprendre ou poursuivre plus avant une relation ressemble à la découverte et l'exploration d'un continent nouveau. Des montagnes inconnues apparaissent à l'horizon, des rivières insoupçonnées coulent vers une mer vierge, l'étrangeté du lieu présente de nouveaux défis. Il n'est pas facile de découvrir le monde de l'autre. Après une exploration en profondeur, on peut célébrer de nombreuses découvertes et se réjouir de ce que les différences favorisent le rapprochement.

Réflexions sur le septième passage

1. Le passé
Quels sont tes trois souvenirs les plus heureux?
Quels sont les trois souvenirs d'enfance qui t'importent le plus?
Quels sont les trois souvenirs les plus tristes (s'ils diffèrent de ceux que tu viens d'énumérer)? Comment ceux-ci t'influencent-ils aujourd'hui?

2. Dis-moi ce que tu crois être la vérité à ton sujet; je n'ai pas à être d'accord.
Ton physique;
Ton intelligence et ton intellect;
Ta personnalité;
Tes émotions;
Tes réalisations;
Tes talents;

3. Qu'est-ce qui t'importe?
Qu'est-ce qui t'importe le plus par rapport à ton travail?
Qu'est-ce qui t'importe le plus par rapport à notre cohabitation?
Qu'est-ce qui t'importe le plus par rapport à tes temps libres?
Qu'est-ce qui t'importe le plus chez les autres?
Quelles sont les autres choses auxquelles tu accordes de l'importance?

4. Qu'est-ce qui te motive à faire quelque chose?
La crainte de ce qui surviendrait sinon?
Les bienfaits que tu en retireras;
L'idée de plaire à quelqu'un;
La satisfaction d'avoir fait de ton mieux;
Autres.

5. Quelle est la meilleure manière de t'expliquer quelque chose? (Choisis tout ce qui te convient)
Parler;
Dessiner;
Une démonstration;
Te conseiller une lecture;
Te laisser tenter l'expérience;
T'expliquer dans les moindres détails;
T'expliquer par bribes;
Autres.

Qu'est-ce qui rend intéressante à tes yeux l'acquisition de nouvelles connaissances?
Les idées qu'elles véhiculent;
L'aspect pratique que tu en tireras;
Ce qu'elles ajoutent à ce que tu sais déjà.

6. Qu'est-ce qui revient le plus souvent dans tes rêves d'avenir?
Accomplir de grandes choses;
Acquérir pouvoir et influence;
Être aimé/e de tous.

7. Quel est l'élément le plus important qui constitue un souvenir? (Penses-y avant de répondre.)
Les sons;
Les images;
Les sensations.

Quelle est le plus important constituant d'un souvenir et à quoi penses-tu en premier lieu afin d'aviver ce souvenir?
Ce que tu as fait;
L'endroit où tu étais;
Le moment où il eut lieu.

8. L'environnement qui te conviendrait le mieux aurait-il :
un éclairage cru ou tamisé;
des tons chauds, pastel ou noir et blanc;
de la musique bruyante ou en sourdine;
un rythme rapide ou lent;
un mobilier sévère ou élégant;
des surfaces rugueuses ou lisses?

9. Qu'est-ce qui te rend heureux ou malheureux le matin?
être au travail;
avoir des loisirs;
dialoguer avec ton partenaire;
faire l'amour;
être entouré/e d'ami/es;
être seul/e?

10. De quoi n'avons-nous pas parlé et que tu souhaites partager avec moi?

Le huitième passage de l'amour :

vaincre ses sautes d'humeur

Avez-vous déjà aperçu un hérisson? Il s'agit d'un petit mammifère insectivore au corps recouvert de piquants. Dans le danger, il se roule en boule et hérisse ses poils, protégeant ainsi ses parties vulnérables de ses piquants repoussants. Deux hérissons malveillants qui se rencontrent peuvent ainsi être en boules l'un à côté de l'autre pendant des heures.

Devant la menace, nous aussi nous hérissons en boule comme le porc-épic. Armés de piquants, nous protégeons nos arrières en battant en retraite. C'est souvent au moment où nous aurions le plus besoin de nous rapprocher de l'autre que survient ce genre de réaction. Chacun hérisse ses poils et devient bourru.

«Je sais si Kim est contrariée ou fâchée. Elle devient calme et prend un air de biche blessée. Elle me répond par monosyllabes et son regard devient fuyant. Je tente alors de lui parler afin qu'elle aplanisse ces barrières et me confie ce qui ne va pas.»

« Nous sommes tous deux entêtés et nous ne cédons pas facilement. Rose m'assaille de ses raisonnements logiques et je me renfrogne. Ça ne dure jamais plus d'une journée. »

Tous les couples que nous avons rencontrés s'engueulent et se font la tête ; tous ont une manière merveilleuse de mettre fin à leurs bouderies. Il n'est pas question pour l'instant de relations houleuses. Il s'agit plutôt de frictions qui irritent les humeurs et qui dégénèrent bientôt en disputes sans que l'on sache pourquoi. Cela se produit chez tous les couples, même les plus aimants, et dès le début de la relation.

Les Craintes issues de l'enfance

On doit se pencher sur le passé afin de comprendre cette situation. Les souvenirs oubliés demeurent à jamais en notre esprit. Les sentiments liés à ces souvenirs fanés sont captifs de notre corps. L'enfant qui trébuche, qui craint un chien ou qui désire ardemment assister à une fête connaît une vive émotion qui accompagne sa douleur. Le genou égratigné imprègne le souvenir de sa vulnérabilité, de sa délicatesse, du danger que représente une éventuelle blessure. Ces réactions à la douleur sont répertoriées, puis oubliées, mais d'elles naissent d'autres sentiments, dont la culpabilité.

Ces messages de douleurs anciennes ou récentes sont doubles. En premier lieu, ils traitent de la manière dont le monde est régi. Étant donné qu'ils proviennent d'une expérience de l'enfance à partir de laquelle on a tiré des généralités, ils sont souvent inexacts. « Tous les chiens sont dangereux et je n'y peux rien », songe la personne qui s'est fait bousculer à quatre ans par un dalmatien. « Aucune femme ne voudra de moi parce que je suis un bon à rien », se répète le jeune homme blessé dans son coeur par un amour malheureux.

Le deuxième volet du message n'est pas aussi direct. La culpabilité est souvent le lot de ceux qui n'ont jamais confronté un dalmatien de nouveau ou qui n'ont pas pleuré leurs amours déçus. «Il ne sert à rien d'être triste, craintif et coléreux». Bien sûr que non, mais on craint le feu quand on s'est déjà brûlé les doigts.

Nous perdons la notion du temps lorsqu'une expérience similaire se représente. «Je me souvenais toujours de mon premier amant qui n'aimait pas mon corps», raconte Lucie. «Chaque fois que j'essayais de faire l'amour avec un autre homme, j'en étais incapable». Nous retenons facilement les leçons enseignées par la tristesse et la colère. D'une fois à l'autre se répètent les mêmes sentiments. Ils se perpétueront encore et encore. Le coeur s'y enlisera.

Réfléchissez un instant. Quand avez-vous été ébranlé pour la dernière fois par le ton qu'employait l'autre en s'adressant à vous? Quand son désordre vous a-t-il fait perdre patience? Un timbre de voix n'a pourtant rien d'intrinsèquement choquant et l'ordre n'offre rien de fondamentalement bon. Votre voisine de palier, dotée des antécédents qui lui sont propres, pourrait prendre plaisir à l'un et l'autre. Pourtant, votre esprit vous rappelle un point du temps où ce timbre de voix était lié à une expérience désagréable ou que le désordre est accompagné de remontrances. Le présent provoque le souvenir, ainsi que l'émotion qui le seconde.

Les Sentiments de l'autre

Ce phénomène est aussi vrai dans l'autre sens. Souvenez-vous de paroles inoffensives qui ont causé le déplaisir de votre compagnon. Avez-vous déjà touché un point sensible et entraîné de ce fait une réaction virulente? Pourquoi s'irriter de la sorte alors que l'on cherche tant à se plaire?

«Ian a besoin d'être seul lorsqu'il se sent déprimé, serait-ce pour une demi-heure. Au début, j'y voyais une forme de rejet dont j'avais souffert dans le passé et je devenais dépressive à mon tour. Ian se sentait coincé parce que ses parents le poursuivaient avec acharnement; alors que moi je tenais à obtenir une explication, lui se sauvait afin d'être seul.»

Ce qui provoque une réaction agit dans les deux sens. Ce que l'un fait déclenche un geste chez l'autre qui catalyse à son tour une action du premier. Il en va comme de la théorie des dominos.

Il existe de nombreux catalyseurs communs. Plusieurs ont peine à supporter une querelle, qu'elle ait lieu chez les voisins ou à la télé. On réagit généralement aux larmes d'un ami avec sympathie et compassion. Soit, il existe des catalyseurs communs. Cependant, les émotions engendrées ne sont pas obligatoirement celles que vous ressentez. Sachez que telle émotion est le produit du temps. Vous fondiez en larmes quand votre père vous ordonnait de ranger votre chambre; vous pourriez réagir différemment si votre partenaire vous le demandait.

Rompre avec le passé

Il existe plusieurs manières de couper ces liens. Il faut d'abord apprendre à ne pas rejeter la faute sur qui que ce soit. Nous souffrons tous, à dessein ou par accident, et auprès des familles les plus unies on rencontre souvent un rejeton qui ne soit pas heureux. Cela devrait nous rendre plus tolérants envers nos propres émotions, de même que celles de notre conjoint. S'il s'emmure dans le silence parce que vous avez égratigné son disque préféré, souvenez-vous qu'il se hérisse afin de se protéger, non pas de vous, mais de ses souffrances antérieures. Si vous lui parlez d'un ton brusque parce qu'elle prend vos sentiments pour acquis, sachez que votre réaction trouve sa cause dans un incident passé.

On peut davantage maîtriser nos réactions face aux événements antérieurs en acceptant d'abord de les reconnaître. Soyez à l'écoute de l'autre et vous saurez ce qui ne va pas. Remarquez le resserrement des mâchoires indiquant que vous avez touché le point sensible. Et ce serrement à l'estomac lorsqu'il fait de même. Pourquoi ne pas l'admettre simplement? «Je suis irascible en ce moment. Y a-t-il un moyen d'y mettre fin?» L'honnêteté rapproche les êtres et leur évite de s'enliser dans les ennuis.

Toutefois le danger rôde. «Je suis irascible en ce moment» peut être interprété comme suit : «Tu m'irrites!» Les mots diffèrent, leur effet aussi. La première version admet sans excuse un état d'âme et demande un soutien moral. L'autre version jette le blâme et attire inévitablement des ennuis. **Votre partenaire n'est jamais responsable de vos sautes d'humeur. Elles sont uniquement le fruit de vos souffrances passées**.

Admettre ses sautes d'humeur devient un geste positif si l'on ne rejette pas le blâme sur l'autre. On peut aussi souligner celles de l'autre en sachant s'y prendre. Le grincheux se sent déjà malheureux de son triste état. Des siècles d'idées préconçues au sujet de la colère et la crainte des larmes véhiculent chez lui la notion de rejet associée à l'expression de ses sentiments. Évaluez la situation avant de dire quoi que ce soit; seulement lorsque vous serez assurés de parler sans une trace de colère pourrez-vous risquer : «Tu es maussade. Veux-tu en parler?» Votre partenaire entendra les mots mais si vous n'êtes pas dégagé de toute colère, elle lira entre les lignes : «Je vois que tu es maussade. Cela me désole à ce point que je dois tenter de t'aider» ou alors : «Cela me fâche tant que je voudrais t'étriper!» Ce ne sont pas des choses à dire en pareille situation.

Il vaut mieux se pencher sur les catalyseurs afin de les neutraliser. Le passé et le présent tissent des liens à double sens. On devient malheureux en revivant une expérience qui nous a rendus malheureux. Il en va de même pour les bonheurs passés et présents. Prenons les gros câlins en exemple. Ils nous viennent de l'enfance et rappellent la chaleur du sein maternel. Tout au long de la vie adulte, un câlin ou une étreinte nous apporte chaleur et réconfort. Si vous savez qu'un certain regard ou qu'une caresse à un endroit particulier favorise la détente chez votre partenaire, adressez-le-lui en période de crise. Chez Ian, la tension se loge dans le dos; Sue lui donne alors un massage afin de le détendre. Si une promenade au soleil apaise vos esprits, promenez-vous ensemble sans parler lorsque vous êtes tous les deux minés.

Jetez les masques

On doit faire preuve d'honnêteté lorsqu'on tente de réconforter quelqu'un. Les amoureux flairent le mensonge à des lieues. Inutile de donner des massages et de sortir au soleil si l'intention n'est pas sincère. L'autre en viendrait à associer vos embrassades au mensonge et chaque caresse favoriserait le repoussement.

Il faut poser un geste franc pour qu'il soit efficace. En certains cas, il ne sera pas nécessaire d'agir. Le simple souvenir d'un moment où vous étiez bien — seul ou en couple — avivera l'influx positif et vous retrouverez la bonne humeur. Souvenez-vous du plus beau jour de votre vie commune, de votre première rencontre, de votre rapport sexuel le plus satisfaisant; décrivez-lui les images, les sons et les sensations que vous en conservez. Si chacun y va de son commentaire, le bonheur ne tardera pas à venir.

Éloignez les ressentiments

Lorsqu'est revenue la bonne entente, il faut veiller à ne pas raviver la mauvaise humeur. En premier lieu, il convient de discuter ce qui a suscité la saute d'humeur. Mais attention! car elle risque de refaire surface. Instaurez la bonne humeur avant de ce faire.

«Nous discutons toujours après une dispute. Nous rions aux éclats en répétant qui a dit quoi. Nous apprenons ainsi à connaître nos catalyseurs réciproques.»

En découvrant ce qui cause le déplaisir de l'autre, on peut apprendre à l'éviter. Voici la meilleure manière que nous connaissions de triompher d'une situation épineuse : en sentant monter l'irritabilité, cessez tout, regardez et écoutez. Qu'est-ce qui provoque votre mauvaise humeur dans la voix ou l'expression de votre partenaire? Ce n'est pas tant ce qu'il dit que la manière dont il s'y prend. Peut-être a-t-il besoin d'être rassuré à ce sujet? Si vous lui expliquez gentiment l'attitude qu'il devrait adopter — avec douceur, sans brusquerie et en le regardant dans les yeux — vous éviterez les grincements de dents et les piquants du hérisson.

Devant cela, on n'a d'àutre choix que de changer. Rose laissait à la traîne de vieilles tasses de papier recyclables, ce qui ulcérait Philippe. Un jour, il se rendit compte que telle était la façon de faire de Rose, qu'il réagissait simplement à une expérience antérieure et qu'il n'y avait rien de vilain à laisser traîner sa tasse de café. Il s'amuse à présent à la course aux tasses et il se rit bien du désordre de Rose. On a su éviter le conflit d'un côté comme de l'autre.

Les sentiments négatifs peuvent quand même s'installer auprès des couples les plus stables. On peut contrôler sa colère et se convaincre des conséquences du passé; il faut malgré tout laisser passer la pression. Chacun doit se sentir libre d'exprimer ce qui ne va pas. Notre corps ressent parfois le besoin de traduire ses émotions. Cela doit se faire pour le mieux, dans la joie.

Plusieurs d'entre nous considèrent que l'on doit dissimuler ses émotions. «Un homme ne doit pas pleurer», «Garde la tête haute», «Une dame ne doit pas prononcer un mot plus haut que l'autre».

On a donc besoin d'être rassurés quant à l'expression de nos sentiments, de même qu'on a besoin de soutien lorsqu'on le fait. Permettez toutefois une mise en garde. On ne doit pas s'attendre à ce qu'un tel soutien vienne du partenaire, à moins qu'il n'ait en rien contribué à notre méchante humeur, notre crainte ou notre colère. Certains sont en mesure d'écouter les récriminations de l'autre à leur propre sujet. Nombre d'années sont cependant nécessaires avant d'accéder à une telle sécurité. Il vaut souvent mieux confier ses rancunes à un ami digne de confiance, qui ne répétera jamais les propos tenus à l'égard de l'autre.

Ces trucs permettent d'éviter le piège des souvenirs lorsque le présent apporte des contrariétés. Lesquels vous conviennent? Voici comment le savoir. Que souhaitez-vous lorsque rien ne va — qu'on vous laisse en paix ou qu'on vous console? On ne sombre pas toujours dans le même état; il faudra donc fournir des réponses différentes propres à chacun. Une autre mise en garde : il ne faut pas vous attendre à trop de sympathie de sa part si lui aussi est de mauvaise humeur. L'irascibilité connaît souvent la courbe d'une spirale; son humeur peut être aussi massacrante que la vôtre. De même, ne lui venez pas en aide si vous êtes encore en colère. Vous ne ferez rien de bon en vous laissant guider par la mauvaise humeur, même contenue. Venez-vous en aide lorsque le catalyseur se trouve hors de votre portée respective; ou alors lorsqu'un de vous deux est suffisamment maître de soi pour s'exclure du dilemme.

Une dernière chose au sujet des hérissons. Ils se servent de leurs piquants lorsqu'ils sont sur la défensive. Leurs aiguilles peuvent blesser profondément. Rappelez-vous-le lorsqu'un de vous deux hérissera ses poils. Le ventre d'un hérisson est doux et vulnérable.

Réflexions sur le huitième passage

1. Souhaitez-vous sa présence ou qu'il vous laisse seul/e?
2. Où souhaitez-vous être lorsque rien ne va? Quels endroits faut-il alors éviter?
3. Souhaitez-vous un câlin, une caresse, un toucher? Si oui, de quelle manière?
4. Lorsque vous êtes triste ou en colère, de quelle manière peut-on vous ramener au moment présent (i.e. une promenade, vous chatouiller, vous engueuler, etc.)?
5. Quelle réaction émotive souhaitez-vous de votre partenaire (i.e. indifférence, sympathie, qu'il partage votre sentiment, qu'il se fâche comme vous, etc.)?
6. Quel type d'humour chasse votre mauvaise humeur? Quel type envenime la situation?
7. Vaut-il mieux que l'autre partage votre avis ou qu'il vous contredise?
8. Cela vous avance-t-il si l'autre cite diverses opinions à propos de ce qui vous mine?
9. Aide-t-il les choses en vous comparant à ceux qui font pire que vous?
10. Avance-t-il en vous fournissant des contre-exemples du sentiment qui vous ronge?
11. Afin de vous réconforter, devrait-il recourir au passé, à l'avenir ou au présent (i.e. vous rappeler à quel point les choses se sont améliorées, comment plus tard tout ira mieux, etc.)?
12. Qu'est-ce qui vous remonte le moral à tout coup?
13. Combien de temps mettez-vous à retrouver la bonne humeur?

V
L'Obtention de vos désirs

Si vous avez lu les quatrième et cinquième passages, vous n'ignorez pas qu'il faut d'abord déterminer ce qu'on veut pour l'obtenir. Une relation a de meilleures chances si on ne laisse pas tout au hasard.

Nous avons fait état du rôle des désirs et des besoins; nous abordons à présent les dures réalités du succès, les détails pratiques qui peuvent faire ou défaire une union.

Le neuvième passage vise à identifier les idéaux, les besoins et les attentes de chacun afin de déterminer les points communs et les éléments de dissension. Partagez-vous le même concept de l'Amour? À partir de quelles ententes s'établit votre relation? Quelles sont les choses qui vous sont acquises sans discussion préalable?

Évidemment, il y aura des frictions. Rien qui ne puisse être surmonté afin que tout se passe en douceur.

Le neuvième passage de l'amour :

accorder ses attentes à celles de l'autre

Au premier temps des fréquentations, la frénésie s'empare de nous et il arrive que nous ne soyons pas conscients de nos attentes. On peut les oublier même quand le merveilleux a fait place au quotidien. On y songe davantage lorsqu'on décide de s'engager face à quelqu'un. On considère l'avenir et on se demande ce qu'on choisit en arrêtant son choix sur cette personne. En général, on perçoit l'amour comme une aventure quotidienne ; on s'estime heureux de le connaître aujourd'hui.

Qu'on en ait ou non conscience, chacun de nous dresse la liste de ses attentes. Longtemps avant le premier baiser, on se fait une idée de ce que sera la vie, l'amour physique, le mariage et la retraite auprès d'un conjoint éventuel. Ce même conjoint a une liste similaire. Des enfants ? Bien sûr que si. Une maison ou un appartement ? Va pour l'appartement. Qui préparera le café du matin ? Lui, bien entendu.

Les leçons du passé engendrent les attentes du présent. « Un homme doit travailler » ; « Elle m'a embrassé, elle doit consentir»; «Il m'a dit qu'il m'aimait, je sais qu'il reviendra». L'autre répond habituellement à plusieurs de nos attentes. La plupart des couples mariés désirent des enfants. Ceux qui s'embrassent vont généralement plus loin. Dans toute relation — qu'il s'agisse du patron, des amis, des parents et des enfants — on établit certaines règles qui dictent l'ordre des choses. Un contrat social, en quelque sorte.

Quelles sont les clauses de votre contrat?

Un contrat peut être implicite ou explicite; on peut choisir d'en discuter les termes ou les laisser supposer. Leur contenu ne diffère en rien. Il est des choses dont on parle, par exemple le contrat de mariage ou la sortie du samedi soir; il en est d'autres que l'on prend pour acquis, par exemple si la grossesse implique avoir l'enfant et non l'avortement.

«Nous partageons les tâches relatives à l'entretien. Nous nous sommes entendus là-dessus dès le début. Les problèmes que nous avons rencontrés avant notre mariage nous ont permis de discuter un tas de choses qui échappent souvent aux nouveaux mariés. J'ai fait à Rose des promesses que j'ai tenues.»

On peut dire des contrats qu'ils ne sont pas toujours respectés. À moins d'être motivé par la peur, il vaut mieux tenir son engagement qu'y manquer. Respecter un tel contrat exige beaucoup d'ententes de la part de chacun. On peut discuter tant et aussi longtemps que les deux parties n'en arrivent pas à un accord. «Nous discutons de tout sans pouvoir nous en empêcher — même du bistrot où nous irons déjeuner.» Une telle forme d'entente vous convient car elle correspond à vos antécédents culturels. Vous pouvez n'être pas d'accord et finir par vous entendre à force de négociations.

La rupture du contrat peut signifier la fin de la relation. Chaque année, des milliers de couples jurent de vivre ensemble jusqu'à ce que la mort les sépare ; pourtant les deux tiers seront séparés par la vie. « Avant mon premier mariage, mon fiancé et moi avions prévu émigrer vers l'Australie. Trois mois après la cérémonie, il avait changé d'idée alors que moi pas. J'ai eu l'impression d'avoir été victime d'une supercherie. »

Chacun change, et ses idées avec lui. Ce à quoi on accorde de l'importance en allant à l'autel peut tomber en désuétude quand vient le temps de verser le paiement de l'hypothèque. Il faut alors renégocier tout le contrat et remettre en question l'entière relation.

Les contrats implicites apportent souvent des ennuis. L'idée que chacun se fait d'une relation est forgée par l'expérience. Elle peut différer autant d'une personne à l'autre que la couleur des yeux. Si les attentes que vous vous faites au cours des fréquentations ne sont pas satisfaites, la colère première fera place à la désillusion. Votre partenaire ne saura jamais qu'il ne remplit pas vos attentes, parce qu'il n'aura pas su que vous les nourrissiez.

« Nous avions un album de photos personnelles. Ce livre rassemblait beaucoup de nos moments intimes. Nous ne nous étions jamais convenus de ne le montrer à personne, mais je savais que nous avions un accord implicite à ce sujet. Quand Robert a appris que je l'avais montré à un ami, il s'est senti trahi. »

Nicki et Robert s'en étaient tenus à une entente implicite quant à leur album de photos. Ainsi, lorsqu'elle posa ce geste en pensant bien faire, Robert se sentit lésé et réagit promptement. S'ils avaient été liés par un contrat explicite, ils auraient pu discuter de l'intimité qu'ils accordaient à ces photos, de l'importance de la préserver, ainsi qu'ils auraient su enrayer la crise lorsque l'un d'eux rompit l'entente. Il est facile de commettre une rupture de contrat si on en ignore les clauses.

Repasser le contrat en détails renforce les liens entre les individus. Il vaut mieux évaluer à deux la situation, d'autant plus que cela permet d'éviter les disputes inutiles. L'un des couples interviewés a couché sur papier les clauses de leur entente.

«Nous avons convenu de certaines choses avant de nous marier. Plusieurs touchaient aux finances mais aussi à la manière de résoudre nos différends. Nous avons rédigé notre entente, l'avons signée et en avons conservé chacun une copie. Nous refaisons cet exercice de temps en temps, bien que cela n'ait pas été nécessaire depuis un bon moment.»

Nous vous proposons la méthode telle que mise de l'avant par John et Terri. Une série de questions relatives aux choses que les conjoints prennent en considération (partage des tâches, argent, sexualité, projets), de façon implicite ou explicite.

Comparez vos réponses. Voyez lesquelles sont les mêmes et lesquelles diffèrent. Vous apprendrez en quoi vos attentes sont dissemblables.

Rappelez-vous que la divergence fournit un prétexte à la discussion. Mieux vaut savoir avant que le mal ne soit fait.

Il ne faut pas désespérer de ses différences. Elle ne vous aime pas moins parce que son rapport à l'argent est différent du vôtre. La relation n'est pas obligatoirement vouée à l'échec parce que vous ne partagez pas les mêmes vues sur la fidélité. Cela signifie seulement que vos expériences passées sont différentes et que, de ce fait, vos attentes sont diverses.

À partir de ce moment, un nouvel équilibre risque de se faire entre vous. Par la suite, il faudra régulièrement procéder à un tel échange. Il est donné à chacun de changer d'idée et d'orientation. Plusieurs couples se sont désunis lorsque leurs buts sont devenus opposés. Mais avec le temps, beaucoup de dialogue et de négociations, vous pourrez enfin réaccorder vos violons.

Réflexions sur le neuvième passage

Les Tâches domestiques

La cuisine

1. Qui fait la cuisine?
2. Selon vous, à quelle fréquence devriez-vous (ou votre partenaire devrait-il) cuisiner?
3. En quelles circonstances faudrait-il que l'on prépare vos repas?
4. En quelles circonstances votre conjoint désire-t-il qu'on prépare ses repas?

L'Entretien

1. À qui incombe la tâche de l'entretien?
2. À quelle fréquence faut-il faire le ménage?

Les courses

1. À qui incombe la responsabilité d'acheter:
   a) les aliments?
   b) les vêtements?
   c) autres.
2. Qui décide de ce qu'il convient d'acheter?

Les réparations et l'entretien

1. À qui incombe la responsabilité des réparations?
2. Qui décide d'engager un professionnel?
3. Qui fait les démarches afin de l'engager?

Le jardinage

1. Qui fait quoi?
2. Qui planifie les travaux?

Gagner sa vie

La pièce de travail

1. Si vous travaillez à la maison, cela vous donne-t-il droit de choisir l'espace qui vous convient?
2. Avez-vous chacun vos pièces de travail? Quelles sont vos ententes à ce titre?

Les décisions

1. Comment prendrez-vous la décision de changer d'emploi, de demander une promotion, de s'inscrire au chômage, de retourner à l'université, etc.?

Les centres d'intérêt

1. Qui devrait parler le plus de son travail?
2. Quel intérêt entendez-vous manifester au travail de votre conjoint?
3. Quel intérêt devra-t-il porter à votre travail?

Le soutien émotif

1. Vous doit-il quelque encouragement lorsque rien ne va au travail?
2. A-t-il droit à votre soutien réciproque?
3. De quelle manière ce soutien doit-il être exprimé?

L'Aspect monétaire

Le revenu

1. À votre avis, qui a la responsabilité première d'assurer le revenu du couple?

Les dépenses

1. À qui revient la responsabilité de décider:
   a) le budget familial?
   b) les achats particuliers?

2.Quelle somme pouvez-vous dépenser sans consulter l'autre?
3.Quelle somme votre conjoint peut-il dépenser sans vous consulter?

Les décisions
1.Comment prenez-vous les décisions importantes au plan financier?
2.De quelle manière décidez-vous d'une alternative lorsqu'il n'y a pas suffisamment d'argent pour vous deux?
3.À qui revient la responsabilité de décider:
   a) comment régler les factures?
   b) combien vous pouvez dépenser sur des articles de luxe?
4.Qui tient le relevé bancaire, les paiements de l'hypothèque, etc.?

Les économies
1. Quelle somme escomptez-vous économiser?
2. Quelle somme pouvez-vous emprunter?
3. Comment décidez-vous de vos investissements?

L'Environnement

L'extérieur
1. Qui décide du quartier où vous habitez?
2. Quels facteurs entrent alors en ligne de compte?

L'intérieur
1.La maison doit être meublée et décorée selon les goûts de qui?
2. Qui en assume la responsabilité?

L'Entourage

Les parents

1. Quels sont les responsabilités de chacun envers ses propres parents?
2. Quelles responsabilités avez-vous envers les parents de votre conjoint (i.e. visites, soins, etc.)?

La parenté

1. Quelles responsabilités avez-vous envers les autrès membres de votre parenté?
2. Quelles responsabilités chacun de vous a-t-il envers la parenté de l'autre?

Les amis

1. Faut-il que vous ayez des amis communs, ou chacun peut-il avoir son groupe d'amis?
2. Que faire si vous n'aimez pas les amis de l'autre?
3. Votre conjoint peut-il sortir avec ses amis sans vous? Si oui, à quelle fréquence?
4. Pouvez-vous sortir avec vos amis sans votre conjoint? Si oui, à quelle fréquence?
5. À quelle fréquence aimez-vous rencontrer vos amis?

Les Décisions importantes

Le mariage

1. Si vous êtes célibataire, quelle serait la situation idéale pour vous marier?
2. Si vous êtes marié/e, qu'est-ce qui pourrait entraîner votre divorce?
3. Quels seraient les plus importants changements de votre entente si vous étiez / si vous n'étiez pas marié/e?

Les enfants

1. Si votre femme devenait enceinte, comment décideriez-vous de garder ou pas l'enfant?
2. Quels sont les devoirs d'un parent envers ses enfants (ou ses petits-enfants, pour certains)?
3. S'il s'agissait de jumeaux, d'handicapés mentaux ou physiques, ou alors des enfants d'un autre homme (d'une autre femme), que feriez-vous?
4. Qu'adviendrait-il si vous appreniez que vous ne pouvez avoir d'enfant?
5. Qu'adviendrait-il si votre partenaire apprenait qu'il ne peut avoir d'enfant?

L'avenir

1. Qui prendra les décisions importantes concernant l'avenir?
2. Que deviendra votre vie à mesure que vous vieillirez?

La Communication

L'honnêteté

1. Quels secrets vous gardez-vous de confier à l'autre (i.e. cadeaux, amants)?
2. Quels secrets devrait-on toujours partager?
3. Quelles sont les choses importantes dont on doit discuter à deux?

Réconcilier les différences

1. Quel temps devrait-on mettre pour régler un désaccord?
2. Où et quand faut-il s'abstenir de discuter de tels désaccords?
3. Comment en vient-on à une entente?

Les Émotions

Faire preuve d'émotions

1. Quelles sont les émotions que vous pouvez ressentir?
2. Quelles émotions votre conjoint peut-il ressentir?
3. Quelles émotions pouvez-vous démontrer envers l'autre? Lesquelles pouvez-vous démontrer devant un tiers (en public, avec les amis, les parents, les enfants)?
4. Quelles émotions votre partenaire peut-il vous démontrer? Lesquelles peut-il/elle vous démontrer devant un tiers?

Les limites

1. Que pouvez-vous endurer de l'autre avant de le lui dire ou de le contester?
2. Que doit endurer votre partenaire avant de vous en faire part ou de le contester?
3. Quelle est la meilleure manière de contrer la mauvaise humeur?

Le Temps

Ensemble

1. Combien de temps souhaitez-vous passer ensemble à ce stade de votre relation?
2. Combien de temps souhaiteriez-vous passer ensemble à un stade ultérieur de votre relation?

Chacun de son côté

1. Combien de temps souhaitez-vous passer seul/e?
2. Combien de temps votre partenaire souhaite-t-il passer seul?

La Sexualité

Ensemble

1. Qui de vous deux fait les premiers pas?
2. Quels sont les lieux et les moments qui vous conviennent et qui ne conviennent pas?
3. En matière de sexualité, qu'est-ce que vous pouvez vous permettre et quels sont vos interdits?
4. En matière de sexualité, qu'est-ce que votre partenaire peut se permettre et quels sont ses interdits?
5. Souhaitez-vous discuter de sexualité ou alors demander ce que vous désirez?
6. Souhaitez-vous que l'autre discute avec vous de sexualité ou alors qu'il vous demande ce qui lui ferait plaisir?

Hors du couple

1. Jusqu'où pouvez-vous vous impliquer face à quelqu'un d'autre que votre partenaire?
2. Jusqu'où votre partenaire peut-il s'impliquer envers un/e autre que vous?
3. Que feriez-vous si votre partenaire outrepassait cette limite?
4. Que ferait votre partenaire si vous outrepassiez cette limite?
5. En quel sens modifieriez-vous cette entente si cela était possible?

Autres préférences sexuelles

1. Quelle serait votre réaction si votre partenaire souhaitait une relation homosexuelle (ou hétérosexuelle, selon le cas)?
2. Quelle serait la réaction de votre partenaire si vous souhaitiez une relation homosexuelle (ou hétérosexuelle, selon le cas)?

3. Quelle serait votre réaction si votre partenaire souhaitait cultiver d'autres goûts sexuels — esclavage, cuir, positions particulières, etc. ?
4. Quelle serait la réaction de votre partenaire si vous souhaitiez cultiver d'autres goûts sexuels?

Le dixième passage de l'amour :

trouver la satisfaction mutuelle

La scène a lieu en plein désert. On y voit une haute pyramide élevée par degrés. Deux personnes y sont assises de chaque côté. Elles ne se voient pas mais peuvent crier. On peut saisir quelques bribes de phrases : «Je ne bouge pas. Je veux aller vers l'est. Viens me rejoindre.» «Je préfère ce côté-ci. L'ouest me semble la bonne direction. Pourquoi ne viendrais-tu pas?» Ils faisaient une expédition dans le désert; il semble qu'ils se soient embourbés.

Les conjoints qui diffèrent d'opinions peuvent se retrouver de chaque côté d'un mur insurmontable. On peut alors traverser une grave crise qui risque d'ébranler la relation ou atteindre un nouveau palier qui permette au couple de reprendre son envol. Vous savez que vous avez raison et que vos besoins sont justifiés; votre partenaire aussi. C'est l'impasse.

Il existe cependant des moyens de s'en sortir. Prenez d'abord en considération les besoins de l'autre plutôt que les vôtres; les maris dominés par leurs femmes, de même que les épouses vieux jeu, choisissent de ce faire. On peut piquer adroitement une colère chaque fois que l'on est contrarié/e; si l'autre subit la crise, on en sort gagnant avec la sensation douce-amère que l'on aurait pu éviter de briser les assiettes. Si les frustrations dépassent le nombre des satisfactions, on peut encore nouer une autre relation. Si chacune de vos disputes met votre vie en péril, quittez votre conjoint.

La Négociation

Il existe cependant une meilleure solution: la négociation. Elle vise à ne pas s'enliser dans le sable et à sortir ensemble du désert. La négociation tient compte des besoins de chacun et favorise les recoupements, les points communs. Une fois les besoins de chacun satisfaits, une solution s'ensuit. Il faut beaucoup d'adresse mais les résultats valent l'effort. Une bonne négociation permet d'éviter les accès de colère, la tentation de tout laisser tomber et favorise l'amour. Qui saurait aimer moins l'autre si ce dernier lui concédait davantage de faveurs? Cet échange doit cependant s'opérer dans les deux sens.

«Nous avons négocié dès le début chaque aspect de notre entente. Nous avions tous deux des besoins spécifiques quant au déroulement, au temps et à l'énergie que nous voulions investir. Nous avions négocié ces détails avant même d'engager des fréquentations. Avec le temps, les besoins ont changé. Notre engagement envers l'autre est sans limites mais nous nous sentons quelquefois opprimés. Nous nous entendons toujours pour affirmer que chaque clause de notre entente est négociable — excepté le principe même de la négociation.»

Vous êtes donc l'un des constituants d'un couple en faveur de la négociation. Songez à ce que cela signifie: vous vous préoccupez de votre propre bonheur ainsi que de celui de votre conjoint. Cela signifie que vous n'acceptez pas tous les compromis. Que vous acceptez de répondre aux exigences de chacun, sans que l'un ne vive sous le joug de l'autre.

Parlez-en à votre partenaire. Convenez du bien-fondé de cette approche. «Jamais nous n'avons parlé d'avoir des enfants. Nous en avons faits, voilà tout. Si c'était à refaire, nous en parlerions avant.»

Une telle approche facilite les contacts quotidiens; vous pouvez vous entendre sur le choix du restaurant, sur la couleur des tentures ou sur le temps de la visite chez vos parents.

Après avoir convenu de ce principe, il vous faut connaître certaines mesures sécuritaires avant de procéder à l'ascension de la pyramide. Le principe sur lequel reposent tous les autres est le suivant : ne tentez rien si vous êtes de mauvaise humeur.

Avant toute chose

Il est vain de négocier ou de communiquer si les sentiments entre vous sont négatifs. Physiquement, cela signifie que tout l'organisme concentre son énergie afin de contrer cette émotion; il ne dispose alors d'aucune ressource afin d'essayer de comprendre les sentiments du conjoint. Il vaut nettement mieux centrer son énergie afin de restaurer la bonne humeur. De cette manière, on rétablit l'équilibre émotif et on désamorce la bombe; on hâte aussi le moment d'une rencontre où chaque partie réitérera ses demandes particulières.

Coupez court aux émotions négatives, embrassez-vous et songez aux bons moments passés ensemble. Personnellement, je n'ai jamais caché le fait de jouer à saute-mouton avant et durant une ronde de négociations!

La négociation peut prévenir la venue de sentiments négatifs. Si l'on peut négocier promptement chaque fois qu'un besoin est nié ou contrarié, on ne se sentira jamais frustré par ce qui n'est souvent que des vétilles. «Nous évoluons dans un merveilleux climat de sécurité», affirme Maggie au sujet du recours à la négociation convenu entre elle et Simon. «Chacun de nous sait à présent que ses besoins seront satisfaits; il est donc inutile de nous mettre dans tous nos états.»

Où et quand doit-on négocier? Il peut s'agir d'une rencontre au sommet tenue dans la chaleur des draps ou devant des crêpes aux bleuets. Lorsqu'on maîtrise les règles du jeu, on peut y consacrer trois minutes devant le cinéma quant au choix du film à voir. Il importe que chacun soit à l'aise devant le choix du lieu et du moment. Ric et Maria négocient toujours dans leur voiture, une vieille Morris. «Nous y avons pris nos meilleures résolutions. Des amis veulent quelquefois l'emprunter, non pas pour la conduire, mais pour y tenir une séance de négociations!»

Qu'est-ce qui est en jeu?

Vous avez convenu du bon endroit et du bon moment pour parvenir à une entente. En d'autres mots, chacun est assis d'un côté de la pyramide, conscient de la difficulté à surmonter et prêt à y arriver. Que faire ensuite? Convenez ensemble du problème à résoudre. Chacun prendra position; l'un choisira l'est, l'autre l'ouest. Qu'il s'agisse du choix d'une maison, d'une automobile, de l'heure à laquelle se lever, de l'amour physique, vous adopterez des positions différentes.

Pourquoi choisissez-vous une direction plutôt qu'une autre? Chaque décision correspond à un besoin précis. Sa raison d'être trouve sa source ailleurs que dans la seule volonté d'agir ainsi. Préférez-vous cette maison parce qu'elle est spacieuse ou parce qu'elle donne sur un jardin? Voulez-vous vous lever tôt afin de terminer un boulot ou pour voir poindre l'aurore? Imaginez deux êtres qui gravissent un degré de la pyramide avec la volonté de communiquer. «Je veux aller à l'orient parce qu'une ville s'y trouve.» «Je veux aller à l'ouest afin de pénétrer davantage le désert.»

Lorsque seront établis vos désirs respectifs, vous ne saurez toujours pas comment les satisfaire. Ceux de votre partenaire diffèrent des vôtres à cause de vos conceptions éloignées d'une même chose. Votre désir de cultiver un jardin peut contredire son désir d'avoir un garage. Votre désir de vous lever tôt peut contrarier son besoin de sommeil. «Je n'ai pas envie de voir le désert.»; «Je me moque bien de cette ville.»

Que faire alors? Sachez qu'il ne s'agit pas de trouver à qui la faute et que cette divergence de priorités témoigne de votre unicité. Ce désir d'un jardin ou d'un garage a une origine profonde. Quelle est-elle? On peut vouloir un jardin pour éviter aux enfants de jouer dans la rue; il peut vouloir un garage afin de préserver la voiture de la rouille et ainsi réaliser des économies. Chacun peut facilement identifier et comprendre ce besoin. Un autre échelon de gravi, une autre étape en vue d'un rapprochement. «Je comprends pourquoi tu tiens à faire les courses de bonne heure; ainsi nous pourrons passer l'après-midi au parc.» «Je comprends ton envie de faire la grasse matinée; tu étais si fatiguée cette semaine.» «Tu souhaites avancer dans le désert pour y trouver la paix intérieure.» «Tu veux te rendre à la ville pour y trouver de l'action.»

Conclure une entente

Le but poursuivi est d'établir une parfaite compréhension entre les deux parties, au prix de longues heures de dialogue. Ainsi chacun sera en mesure de dire à l'autre, sans aboutir à un compromis : «Je comprends tes motifs et tes besoins. Essayons de trouver une solution qui satisfasse tes désirs et les miens.» À partir de ce moment, vous ferez du progrès.

Vous gravirez un à un les degrés de la pyramide jusqu'à trouver celui qui vous est compatible. Vous comprendrez l'importance qu'il accorde aux économies parce qu'il souhaite offrir aux enfants la crème de la crème. Heureuse coïncidence, voilà qui vous tient à coeur. Vous désirez acquérir une maison avec un jardin afin de vous détendre le soir venu ; il y verra peut-être une façon d'améliorer la qualité de vie de toute la famille.

Un après-midi au parc n'est peut-être pas ce qui importe le plus ; vous désirez peut-être passer plus de temps ensemble. Voilà pourquoi il faut faire les courses de bonne heure. Pour une raison similaire, elle souhaite dormir davantage. Ainsi, elle disposera de plus d'énergie qu'elle pourra vous consacrer. Voilà qui devrait vous satisfaire.

«Je me rends compte à quel point nous attachons de l'importance à nos états d'âme. Tu recherches le calme, j'aime les sensations fortes.» «Pourquoi recherchons-nous ces émotions ? Je veux partager mes sentiments avec toi, puisque nous sommes ensemble.» Ils se sont ainsi rendus au faîte de la pyramide.

Il se pourrait qu'ils n'y parviennent pas. La négociation pourrait achopper s'il vous semblait plus important de ne rien céder que d'en arriver à un accord. Si cela se produisait, vous auriez besoin d'aide. Que faire si votre partenaire rompt les négociations à mi-chemin du sommet ? En dernier recours, il vaudrait mieux mettre fin à une telle relation que de continuer à la subir. Assurez-vous d'une alternative avant d'envisager de poursuivre plus avant cette relation. Il faut alors disposer de ressources : de l'argent pour engager un jardinier paysagiste, une chambre d'amis où dormir, etc. Il vous faudra peut-être la force de continuer seul/e afin de trouver le soleil. Sachez toutefois que si les négociations achoppaient, vous auriez une dernière option avant d'abandonner.

Changer d'attitude

Lorsque vous en êtes venus à une entente, que les issues sont compatibles quoique différentes, vous aurez changé d'humeur.

«Aux premiers temps de nos fréquentations, nous étions souvent en désaccord quant à la manière de passer la soirée. Ève voulait rester à la maison et j'étais ennuyé à la seule idée de regarder la télé. Nous en avons discuté et c'est alors qu'elle m'a proposé de boire du vin au lit! Nous étions bien soulagés de nous être compris. Cette histoire nous fait rire à présent.»

Au moment où vous parvenez à une entente, tout comme Trevor, vous pouvez chercher la solution qui conviendra à chacun. Il se pourrait qu'elle n'aille pas dans la direction que vous aviez proposée. Souvent, elle ira dans une troisième direction qui satisfera vos exigences. La maison au jardin et sans garage deviendra peut-être une maison avec garage qui donne sur un parc; ou alors une maison avec un jardin et un auvent pour voiture. Si vous souhaitez avant tout offrir aux enfants ce qu'il y a de mieux, il existe plusieurs manières de le faire.

L'heure du lever peut se négocier. Elle pourra dormir plus longtemps si vous-même convenez de vous lever plus tard; ensuite, vous ferez les courses ensemble. Ou alors faites les emplettes le vendredi soir, ou le samedi après-midi. Et arrêtez au parc en rentrant à la maison. Ou dînez au restaurant toute la fin de semaine! Il importe avant tout que vous soyez heureux et que votre énergie ne fasse qu'une.

Comment y parvenir? Vous devez d'abord déterminer les besoins derrière le sujet de dissension. Identifiez le besoin que cache cette discorde. Quel besoin satisfait ceci ou cela? Ne vous souciez pas d'en arriver à une conclusion évasive — le besoin d'être aimé/e, de survivre, etc. Voilà où aboutissent la majorité de nos désirs. Si nous en étions convaincus, nous n'aurions probablement rien à négocier. Chacun connaîtrait et comprendrait ses besoins.

Profitez au maximum de cette méthode. Lorsque chacun comprend et accepte les besoins de l'autre, vous pouvez trouver une solution qui contentera les deux parties. Dans le cas contraire, il se pourrait que le lieu, l'endroit ou vos humeurs ne se prêtent pas à une telle conciliation. En pareil cas, vous devez réagir. Sinon, considérez ceux de vos besoins qui demeurent ignorés. Pèsent-ils dans la balance? Cherchez toutes les solutions imaginables, vous finirez par trouver la bonne.

La négociation requiert un certain talent qui se raffine avec le temps. Il faudrait idéalement s'en servir au début, pendant et à la fin d'une relation. Étant donné qu'on acquiert une telle habileté avec l'expérience, on risque d'y avoir recours lorsqu'il est trop tard. La plupart des négociations se font au moment du divorce, alors que la relation est en phase terminale. Négociez dès à présent; ainsi, vous connaîtrez mieux vos besoins respectifs. Vous en tirerez profit à la longue.

Les deux explorateurs du désert ont quant à eux atteint le sommet de la pyramide. Ils ont accédé à chaque échelon à force de dialogue et de compréhension. Parvenus au pinacle, ils n'ont d'autre choix que de se tenir l'un contre l'autre et de se regarder. «Je sais à présent que nous désirons vivre nos émotions.» «Comment pouvons-nous trouver le calme et la frénésie ensemble?» «Crois-tu que le sommet de la pyramide soit suffisamment élevé?» «Eh bien... songes-tu à la même chose que moi?» «Oui, et ensuite, il y a une oasis quelque part par là...»

Réflexions sur le dixième passage

Que désirez-vous?
Qu'obtiendrez-vous en l'ayant?

LORSQUE VOUS EN CONCLUEREZ QUE CES BESOINS SONT COMPATIBLES
Que chacun de vous suggère trois solutions susceptibles de satisfaire les besoins de l'autre.

Laquelle parmi ces six solutions vous semble la plus appropriée?

VI
Moi ou toi?

Souhaitez-vous être la tendre moitié de quelqu'un ou devenir un être humain à part entière? Vivre en couple peut vous propulser vers deux directions différentes : conserver votre propre identité ou vous confondre à votre partenaire. Que choisir? Les gens interviewés nous ont appris l'importance d'établir un certain équilibre. Un couple est voué à l'échec si chacun des partenaires fait preuve d'égocentrisme. Par contre, il est aussi néfaste de se fondre au moule de l'autre et de devenir son ombre.

Les deux approches exposées dans ce chapitre ne sont pas clairement dissociées; chacune touche l'identité d'un angle différent. Les couples heureux ont recours à deux stratégies afin de résoudre un même conflit. Ainsi, chacun défend son individualité tout en reconnaissant la relation. De cette manière, les deux parties parviennent à se comprendre et à s'entraider. Cette pratique est aussi essentielle à la survie que la respiration. À notre avis, les deux passages qui suivent offrent la clef du bonheur conjugal.

Le onzième passage permet de valoriser l'individualité et la liberté de l'autre, tout en reconnaissant à son juste mérite votre apport au couple. Le douzième passage complète cette dernière. Elle favorise l'identification à l'autre et la compréhension de son point de vue, cela à l'avantage du couple.

Le onzième passage de l'amour :

conserver son identité au sein du couple

Une relation se noue entre deux êtres. Pendant quelque temps, rien n'est plus agréable qu'être en compagnie de l'autre et se parler mille fois par jour au téléphone pour tout se raconter. Puis les semaines deviennent des mois, un sentiment de sécurité naît, on fait des projets d'avenir. En même temps, un phénomène étrange se produit.

On souhaite retrouver sa solitude. Serait-ce une heure en rentrant du bureau, ou une seule journée pour se faire un facial et réorganiser sa garde-robe. «Les premiers mois, nous ne sortions pas l'un sans l'autre. À présent, nous retrouvons nos anciens amis et nous sortons quelquefois chacun de notre côté», nous confient Peter et Caroline. La même chose va pour votre partenaire qui éprouve aussi ce besoin de se suffire à lui/elle-même.

Il ne s'agit pas des signes extérieurs d'un manque d'intérêt, de mésentente, de dispute, d'excuses hésitantes et d'annulation à la dernière minute qui annonceraient une séparation. Il est ici question du besoin que nous éprouvons tous, que l'on soit ou non amoureux, de conserver la personnalité qui nous est propre. Chacun de nous est un individu unique. Voilà ce qui cause l'attirance entre les êtres : cette unicité qui triomphe dans la complémentarité. Chacun vit sa vie à sa manière. Chacun doit se suffire à lui-même, tout en se considérant incomplet. Rien de plus normal que de rechercher le partage auprès d'un autre, mais il faut malgré cela préserver son individualité.

«Je sais qu'Ève attache beaucoup d'importance à son indépendance. Elle a besoin de retrouver les sentiments et les idées qui lui sont propres. Je prends garde de ne pas l'étouffer, je lui laisse sa liberté. Sinon, je crois qu'elle me quitterait.»

S'accorder de la liberté

Nous avons découvert que les couples heureux favorisent le développement et la croissance de chacun selon son individualité. Pour quelles raisons feriez-vous une telle chose pour votre partenaire? Parce que vous l'aimez et qu'ainsi vous lui permettrez de devenir qui il/elle est vraiment. Voilà une réponse altruiste. Un esprit pragmatique répondra que sans cela votre relation en souffrira. Quelqu'un qui ne s'accepte qu'au sein d'un couple, qui ne sait rien accomplir sans demander la permission, quelqu'un qui n'est que le reflet de l'autre n'est pas un partenaire mais un fantôme. Avec le temps, ce fantôme se fera amer, trompeur, absent.

Il ne s'agit pas de se laisser marcher dessus avec des bottes de sept lieues. Si la relation ne vous satisfait pas, dialoguez, négociez ou mettez-y un terme. Nous faisons ici allusion aux dangers existants lorsque l'un a tellement besoin de l'autre qu'il ne saurait agir sans lui, ou lorsqu'elle désire à tout prix que l'autre soit conforme à son image et qu'elle décide tout à sa place.

Ses différences sont ce qui vous a attiré chez cette personne, ses constituants uniques qui satisfont vos besoins et vous sont complémentaires. Si elle perdait ces différences, vous perdriez tout. Si vous vous sentez menacé par ces différences, rappelez-vous qu'elles étaient la raison première de l'attrait éprouvé à son endroit.

«Peter m'a plu parce qu'il était attentionné et sûr de lui. J'étais en sécurité auprès de lui. Il appréciait ma spontanéité et mon entrain. Puis nous nous sommes rendus fous au sujet des travaux domestiques. Nous différions tant à ce sujet. Je m'attendais à ce qu'il réagisse avec autant de promptitude que moi et cela l'ennuyait parce qu'il n'est pas aussi rapide que moi. Il nous a fallu un bon moment avant de découvrir que cela faisait notre charme!»

Identifiez tout ce qui vous a attiré chez votre partenaire, du vert de ses yeux à son sens de l'humour. Tenez-vous-en aux aspects positifs et ajoutez ce que vous avez découvert depuis. Identifiez ensuite les choses qui portent ombrage à votre personnalité et à votre propre estime. Soyez assez précis : «Il n'est pas rangé», «Elle n'a aucun sens de l'organisation», etc. Réfléchissez bien et essayez de voir si chaque défaut ne trouve pas racine dans quelque chose qui vous plaisait au départ. Chacun de vos reproches ne contribue-t-il pas à faire de l'autre l'être que vous aimez?

Gardez à l'esprit que l'autre, avec la somme de ses qualités et défauts, permet l'assemblage de votre couple. Si quelques morceaux venaient à manquer, le puzzle ne serait pas complet. Chacun réagit d'une façon qui lui est propre. Sue a besoin d'être aimée; par conséquent, elle tâche d'établir de solides liens avec son entourage. Ian est direct; il ne craint pas de défier quelqu'un s'il le juge à propos. «Sans Sue, je n'aurais plus un seul ami.» «Je laisserais tout le monde profiter de moi si Ian n'était pas là. Nous sommes mieux ensemble que séparés.»

Confier ses émotions

Vous êtes probablement plus conscient des forces de votre partenaire et de ce qu'elles consolident vos liens. Mais votre partenaire en est-elle consciente? L'autre nous parle souvent des choses que nous devrions modifier. Dans l'intimité, on s'avoue souvent nos torts, souvent en conséquence de l'irascibilité, parfois parce qu'on juge à propos de le faire. Mais on aurait surtout besoin de s'entendre confirmer ses mérites. Les plaintes formulées à l'égard de l'autre pèsent davantage que les appréciations. Au cours des premiers mois, nous glorifions l'autre puis nous oublions de le faire. Un peu comme les plantes en pot, deux conjoints ont besoin d'eau et de soins afin de favoriser leur croissance.

Il faut aussi tenir compte de nos besoins respectifs. Le neuvième passage attire l'attention sur les besoins propres à chacun. Si vous pouvez les satisfaire sans vous compromettre, votre union a d'excellentes chances de survie. Si elle dispose de tout le temps et de toute la solitude qu'il lui faut, de la liberté de voir ses amis, de faire ce qui lui plaît quand bon lui semble, elle sera heureuse de rentrer à la maison. «J'ai découvert que si je ne sortais jamais seule, j'aurais un jour besoin de sortir avec quelqu'un d'autre que Joe. Nous nous sommes entendus. Depuis, je passe quelque temps seule; je vais au théâtre ou je fais une promenade», raconte Katie.

Être proches peut signifier qu'on le soit trop. On peut oublier que l'autre est différent et le traiter de la sorte, faire siennes nos priorités et se tenir responsable de sa vie.

«James était un mordu du conditionnement physique. Les jours suivant notre rencontre, il m'a encouragée à suivre des cours de gymnastique. Je me suis vite aperçue qu'il débordait d'enthousiasme parce qu'il s'identifiait à moi. Il nous a fallu du temps à accepter nos divergences d'intérêts et à admettre qu'il pouvait garder la forme, même si je ne faisais pas de jogging.»

Sachant que l'autre vit dans un monde différent du vôtre, avec des antécédents et des références qui ne sont pas les mêmes, vous êtes en mesure de comprendre pourquoi elle agit différemment. Cette même compréhension favorisera le respect de vos différences.

Conserver sa personnalité

Ce qui va pour l'un va pour l'autre : vous aussi devez conserver votre personnalité. Une relation égalitaire tient entre partenaires égaux. Ce que vous venez de lire au sujet de votre conjoint tient aussi pour vous. Ce que vous devez à l'autre, vous le devez à vous-même. Pas de relations à sens unique.

Permettez-vous de grandir et de vanter ce qui fait votre unicité. Ainsi, vous deviendrez qui vous pouvez être et qui vous souhaitez devenir. Vous ne vieillirez pas frustré , fourbe et menteur parce que vous ne serez plus quelqu'un, mais la moitié d'un autre.

Sachez demeurer vous-même. Si vous perdiez votre personnalité, si vous deveniez l'ombre de son ombre, alors votre relation y perdrait. Rappelez-vous ce dont vous avez à offrir, cela même qui a attiré l'autre vers vous. Laissez l'autre vous rappeler ce qui l'a séduit en vous. Déterminez ensemble quelles sont vos propres contributions à la relation. Quelles sont les qualités que vous seul/e avez et qui rendent votre union si chère? «Je sais que je suis la seule personne qui puisse encourager Malcolm», affirme Jane. «J'ai véritablement aidé David à faire face à ses problèmes d'ordre sexuel», dit Tom.

Il ne s'agit pas de se féliciter qu'une seule fois. Rappelez-vous continuellement vos bons gestes. Demandez à l'autre de les identifier. À vos amis, à votre mère, à une collègue de travail. Certains s'en étonneront mais ce type de félicitations tiendra à distance les médecins, psychiatres et avocats spécialisés en divorce.

Il n'est pas aussi aisé d'effacer de votre esprit les sentiments d'échecs antérieurs. «Pendant nombre d'années, je ne souffrais pas qu'un homme me complimente au sujet de ma poitrine, parce que mon premier amant m'avait souvent répété que mes seins étaient trop petits.».

On se souvient en général des choses négatives bien plus que celles représentatives de la vérité. Combien d'appréciations sont-elles cachées sous une seule remarque hostile? Repassez tout en mémoire et ayez une meilleure opinion de vous-même en avivant le souvenir de ce que vous avez oublié.

Si l'opinion que vous avez de vous-même est encore affectée par un commentaire désagréable lancé à votre endroit quelque dix années passées, dites-vous que vous avez changé. Quelle aurait été votre réaction si vous aviez alors eu l'expérience dont vous disposez à présent? Que serait-il advenu si vous aviez réagi en fonction de ce que vous savez aujourd'hui?

Qui plus est, sachez profiter des bonnes choses. Ce n'est pas parce que l'autre vous traite aux petits oignons que vous ne devez vous dorloter. Les personnes interviewées ont parlé de massages, d'après-midis au sauna, de lecture au lit, de nouvelle garde-robe, de mets délicats, de vins. Que des plaisirs solitaires destinés à vous seul/e. Nul besoin de l'autre pour succomber à la tentation.

Au même titre que votre conjoint, vous aussi avez besoin de temps consacré à la solitude et à vos amis. On croit souvent que l'amour exclut tout moment passé en solitaire. Au contraire, se livrer à l'autre requiert beaucoup de solitude afin d'assimiler les événements. Nous nous sommes rendus fous les premiers mois de notre vie commune en ne nous quittant pas d'une semelle. Nous aurions eu l'impression d'être un couple mal assorti sinon. À présent, chacun peut lire pendant un repas, faire à l'occasion une sortie sans l'autre et nous sommes beaucoup plus détendus.

L'amour exclut l'égoïsme mais n'exige pas que l'on perde sa personnalité. Vous devez tirer fierté de votre relation et découvrir d'autres facettes de votre personnalité — vos espoirs, vos craintes, vos besoins, vos désirs, vos préférences et vos aversions doivent s'intégrer à la relation que vous entretenez.

«J'ai toujours été sur mes gardes en ce qui concerne l'amour; je craignais devenir la moitié de quelqu'un. À présent, je sais que j'étais une femme à part entière avant de connaître Trevor et que je le suis toujours.»

Réflexions sur le onzième passage

Ce qui m'a attiré/e chez l'autre
Ce qui chez lui/elle me porte sur les nerfs
Comment je puis me faire plaisir
Ce que je puis faire pour mon corps
Ce que je puis faire pour mon intellect
Ce que je puis m'offrir
Gens que je puis fréquenter
Ce que je puis me répéter
Ce dont je puis me féliciter
Ce qui me ferait plaisir
Le temps que je puis m'accorder
L'espace que je puis me réserver

Le douzième passage de l'amour :

S'identifier au couple

Avoir une douce moitié, qu'il s'agisse d'un époux, d'un colocataire ou d'une amie, cela peut engendrer un sentiment de sécurité. Ou alors devenir angoissant. Celui sur qui on jette son dévolu peut fort bien réagir autrement; celui qui vous complète si bien peut aussi vous taper sur le système. La familiarité n'entraîne pas nécessairement le mépris, mais elle peut conduire à une sorte d'aliénation.

Deux êtres totalement différents, attirés l'un vers l'autre à cause de leurs différences, peuvent aussi y trouver l'objet de leur éloignement. Il adore le sport, vous n'avez pas l'esprit de compétition. Il doit s'impliquer en politique, vous n'y voyez pas d'intérêt. Pourtant, vous vous entendez bien, partagez une sexualité satisfaisante et vous vous aimez profondément. Alors quelle est la cause de vos ennuis?

«Nous nous entendons à merveille, mais je ne m'explique pas son besoin de liberté», avoue David au sujet de la relation qu'il entretient avec Tom depuis un an. «Je ne me comporterais pas de la sorte envers quelqu'un que j'aime.» Devant les différences fondamentales qui nous séparent, on peut s'irriter et devenir frustrés. Pourquoi n'a-t-il pas la même réaction que moi? Pourquoi a-t-il des vues différentes des miennes? La mauvaise humeur, l'angoisse et les querelles surviennent généralement lorsqu'on cherche à paraître unis aux yeux du monde, tout en essayant d'intégrer l'autre à notre intériorité.

Si l'effort devient surhumain à cause de trop nombreuses divergences, l'une des parties mettra fin à la relation. Souvent, la joie de partager sa vie avec quelqu'un nous empêche de rompre. On tente alors de concilier les différences coûte que coûte. Ceux qui aiment le plus souffrent davantage, car ils essaient d'assembler des morceaux octogonaux et des pièces oblongues.

Il est normal d'avoir à surmonter ces conflits intérieurs si l'on souhaite le succès d'une relation malgré des différences difficilement conciliables. «Tour à tour, je lui en voulais de son comportement et je me tenais rancune de mon intolérance. Il m'a fallu beaucoup de temps pour accepter que nous n'étions pas faits l'un pour l'autre», dit Diana de son premier mari. En faisant fi de la cruauté mentale, souvent les sales types et les garces ne sont pas ce qu'ils semblent; leur seul tort est de ne pas satisfaire les aspirations de leur conjoint. Un salaud ne veut peut-être pas ce qu'on a à lui offrir; une garce est probablement une femme qui aime un autre type. Le blâme ne revient à personne. Leurs mondes intérieurs diffèrent trop, voilà tout.

Chacun des partenaires heureux que nous avons rencontrés parvenait à s'identifier à son conjoint, à pénétrer son monde intérieur et à en saisir le sens. Les gens heureux n'y consacrent pas tout leur temps; certains ne le font jamais, d'autres de temps en temps. Mais quiconque y avait recours savait trouver l'équilibre entre l'identification et son individualité. Jamais l'identification n'était absente.

Connaître le monde intérieur de l'autre

En quoi consiste cette identification? Comment se manifeste-t-elle? Il s'agit d'autre chose que de la proximité existant entre deux êtres. L'identification consiste à pénétrer l'univers intérieur de l'autre, de telle sorte qu'on devient cette personne. On comprend sa manière de penser, on ressent ses émotions.

«Quelquefois, nous avons les mêmes pensées. Notre approche est similaire, nous avons des réactions identiques au même moment. Nous avons alors l'impression d'habiter le corps de l'autre.»

La force de ce procédé provient de ce que, ce faisant, il devient impossible de nourrir les mésententes et les conflits.

«Je ne pouvais supporter l'idée de faire du mal à Rose. Je ne souhaite rien faire qui puisse lui déplaire. J'y songe à peine que je me sens mal. Je ressens ce qu'elle ressentirait et je ne peux me décider à agir.»

Philippe savait que certains gestes rendraient Rose malheureuse. Il ressentait la même chose qu'elle, il s'identifiait à elle et comprenait ses réactions, de telle sorte qu'il ne pouvait rien faire qui risquât de la peiner car lui aussi aurait eu du chagrin.

Comment en vient-on à s'identifier de la sorte? Il faut d'abord que la relation en vaille le coup. Les couples développent ce sentiment avec le temps, à mesure que la relation leur importe davantage. «Notre union compte plus que tout, plus que n'importe quel sujet de discussion, plus que ma mauvaise humeur», dit Rick. Le rapprochement se fait aux premiers temps de la relation, alors que l'on s'étonne encore d'avoir séduit quelqu'un de si merveilleux. Mais afin de survivre à la séduction initiale et aux premiers moments passés ensemble, il faut que la relation nous tienne à coeur. Alors seulement trouve-t-on la motivation de s'identifier à l'autre.

Si vous voyez les choses de la même manière, vous avez un bon point de départ. Il est vrai que les contraires s'attirent et se complètent et il est intéressant de se raconter nos souvenirs d'enfance. Mais ceux qui ne partagent aucun antécédent éprouvent quelque difficulté à comprendre l'autre. Il vaut mieux savoir que vos objectifs, vos attitudes, vos opinions seront pris en considération et valorisés. Voilà qui fait souvent le succès des mariages arrangés : on choisit les partenaires en fonction de leurs antécédents, ils s'épousent et vivent dans le même monde, avec un même point de vue.

Grandir à partir d'expériences communes

Si les antécédents sont similaires, il est facile d'amasser un bagage d'expériences communes. Dès le premier regard, on fouille ses souvenirs afin de trouver des endroits où l'on est allés, des choses que l'on a faites. «Chéri, c'est notre chanson.» C'est la vôtre parce que vous y étiez ensemble, amoureux, au moment où on la chantait. À mesure qu'évolue la relation, les souvenirs augmentent : l'amour physique, les disputes, les ruptures, les réconciliations, l'hypothèque à payer, les enfants, la pension alimentaire. Chaque expérience ajoute à votre bagage commun et facilite de ce fait l'identification à l'autre.

Il n'est pas nécessaire de passer quarante années auprès de quelqu'un pour acquérir ce doigté. On peut comprendre l'autre simplement en lui posant des questions. Les premières journées favorisent l'identification car on parle alors beaucoup de soi. «Je t'aime», dit-elle. «Moi aussi je t'aime», répond-il. L'entente est parfaite aux premières semaines d'un sentiment naissant. Avec le temps viennent les responsabilités et on oublie souvent de parler de soi. On laisse de côté ses sentiments, on les entasse comme de vieilles photos. Lorsqu'on nous demande «À quoi penses-tu?», on répond au sujet de l'entretien domestique plutôt qu'en fonction de son intériorité.

Ne craignez pas de poser la question. Si l'autre vous demande, répondez franchement. À quoi pensez-vous? Comment vous sentez-vous? Faites-lui part des images que vous voyez, des souvenirs que vous conservez et des émotions que vous ressentez. «J'ai une boule à l'estomac. Je vois la tête que fera le doc demain; il sera furieux!» Ainsi l'autre comprendra davantage ce que vous ressentez et, de ce fait, se montrera plus compréhensif.

Posez mille questions pour tout connaître et mettez-vous dans sa peau afin de savoir ce qu'elle ressent. Devenez l'autre en sa présence et adoptez ses réactions et ses émotions. Vous serez étonné/e d'apprendre ses mécanismes de pensée, étonné/e aussi de les avoir ignorés jusque-là.

Comprendre les vues de l'autre

Cette expérience vous aidera à atteindre une meilleure compréhension, même en période de crise. Faites l'expérience suivante en discutant de quelque chose qui cause un désaccord entre vous. Choisissez en premier lieu un sujet de mésentente cordial; ainsi vous éprouverez du plaisir tout en argumentant. Les questions doivent être abordées dans l'esprit de l'autre, de sorte que vous réagissiez un peu comme lui. L'autre vous aidera en posant les questions suivantes: «Quelle serait ma réflexion?», «Quelles sont les images que je verrais?», «Quelles sont les voix que j'entendrais?», «Quelles émotions dois-je intérioriser pour ressentir la même chose que toi?» Il est difficile de se fâcher contre quelqu'un si on comprend son point de vue. Si on la pratique dans les deux sens, cette technique est la meilleure que nous connaissions pour mettre un terme à un conflit.

Cela n'exempte pas tous les problèmes. À force de voir les choses comme l'autre, vous pouvez ne plus savoir quel est votre point de vue.

«J'étais craintive à l'idée de faire l'amour avec Simon. Je croyais qu'après la première fois, je n'aurais d'yeux que pour lui, que je serais subjuguée par ses idées, sa personnalité. Je craignais de ne plus savoir qui j'étais.»

Maggie avait besoin d'être rassurée quant à sa propre identité, avant de s'abandonner à Simon. Elle savait que si elle faisait l'amour avec lui (ce qui peut indéniablement créer de solides liens), elle risquait de s'identifier à lui. Plusieurs éprouvent cette crainte, surtout chez les femmes. Si elles partagent l'intimité de quelqu'un, elles craignent que les idées, les idéaux et les concepts de l'autre ne deviennent les leurs. Le danger existe en effet et l'on doit se montrer prudent, afin de préserver son identité.

Le danger existe aussi ailleurs. Si on peut comprendre les vues de l'autre, on peut aussi adopter son comportement. Les contraires s'attirent à cause de leur complémentarité; l'intimité permet de comprendre et d'accepter les opinions, les attitudes et les réactions différentes.

«Depuis que je vis avec Robert, avoue Nicki, j'accumule des tas de trucs, tout comme lui. Je n'étais pas ainsi auparavant.» On peut prendre les défauts de l'autre, devenir avaricieux comme lui ou paresseuse comme elle.

Il faut conserver une perspective extérieure en ce qui concerne les vues de l'autre. On peut les comprendre et s'en abstenir si on ne les partage pas. Ou si elles sont néfastes pour l'autre. Il n'est pas de plus grand sentiment que de percer le chagrin de l'autre et de pleurer avec lui. De crier sa colère lorsqu'elle crie et d'être lasse lorsqu'il se sent déprimé.

Toutefois, si l'on est assuré de préserver son identité et que l'on est rassuré quant aux faiblesses de l'autre, pourquoi se rebuterait-on face au phénomène d'identification? «Tu risques de devenir comme lui», s'adresse à l'un et l'autre. Qui n'aurait pas avantage à vivre auprès d'un partenaire aimant et à apprendre à aimer en sa compagnie? Qui ne souhaiterait pas partager l'existence d'une femme épanouie et ainsi s'épanouir auprès d'elle?

Cependant, personne n'a su définir clairement ce qu'est l'amour de l'autre; tout au plus nous a-t-on parlé de compréhension et d'identification au conjoint. «Je sais que j'accepte Kim parce que je n'ai jamais à lui poser de questions, dit Paul. Je comprends sa manière d'agir et c'est très bien ainsi.» «Quand je songe à quelque chose que je veux faire pour Philippe, j'imagine ses éclats de joie lorsqu'il saura et je deviens heureuse», confie Rose.

Pénétrez l'esprit de votre conjoint, carte en mains, afin de vous y retrouver. Errez quelque temps dans les dédales de sa pensée, ouvrez grand les yeux et les oreilles. Décelez autant les joies que les angoisses. Apprenez à apprécier des sentiments qui vous sont peut-être étrangers : l'anxiété avant la réussite, l'allégresse devant l'amitié, la satisfaction d'une vente accomplie. Essayez de ressentir les sentiments de l'autre avec conviction. Ce faisant, vous le comprendrez chaque fois davantage et vous deviendrez un peu plus en mesure de l'aider, de le soutenir et de le motiver. Vous augmenterez de ce fait vos chances de bonheur. Dans ce cas, pourquoi n'avoir qu'une vision des choses alors que vous pouvez en partager deux?

Réflexions sur le douzième passage

L'avenir

1. Comment l'envisages-tu?
2. Avec quelle précision l'imagines-tu?
3. Quelle chose t'apparaît le plus vivement?
4. Quelle chose te semble la plus détaillée?

L'image de soi

5. Que révélerait à ton sujet l'acceptation de chacune de ces choses?

L'entourage

6. Quels sont ceux dont les opinions et les réactions face à ces choses t'importent?
7. Quelles sont ces opinions et ces réactions?

Les sentiments

8. Que ressens-tu face à chacune de ces options?
9. À laquelle des questions de 2 à 7 avez-vous répondu avec le plus d'émotion?

VII
Comment affrontez-vous les périodes difficiles?

Qui dit problèmes conjugaux dit période difficile — l'infidélité, l'insécurité financière, les disputes. Nous avons appris des gens interviewés qu'une période difficile peut favoriser la vie conjugale plus qu'elle risque d'y mettre un terme. Les épreuves ne sont donc pas la fin du monde.

L'épreuve peut toutefois sembler insurmontable lorsqu'on y est confronté. Le treizième passage analyse ce qui se passe en temps de crise. Vous verrez comment on peut éviter le gouffre et enrayer la cause du problème. De plus, vous pourrez décider des mesures à prendre et convenir du moment judicieux pour mettre fin au conflit.

Nous n'avons rencontré aucun couple qui ne connaisse de période de difficultés. Si deux êtres tentent de former une seule entité, il est normal qu'ils se heurtent à certains obstacles. Sinon, ils ne sauraient jamais ce qu'est la vie à deux.

Le Treizième passage de l'amour :

surmonter les difficultés

Les épreuves sont comme les ouragans ; elles surviennent de diverses façons. Elles peuvent débuter en douce et aller s'aggravant, ou éclater du jour au lendemain. Les obstinations sans conséquences, les violentes altercations, le silence accusateur, les cris déchirants, les départs, l'isolement, les ruptures ; il semble que toute relation — houleuse ou heureuse — comporte des moments périlleux où le rêve risque de disparaître en fumée. Les relations heureuses renaissent toujours de leurs cendres, en dépit des ennuis et souvent grâce à ceux-ci.

Une menace de bris peut ajouter à la qualité d'une union. L'épreuve peut vous aider à comprendre ce qui ne va pas, à découvrir ce qui vous manque et vous apporter le moyen d'y remédier. Sous la menace, on est forcé de réfléchir, de renégocier. Les résultats finaux peuvent n'être que plus positifs. Une période de difficultés laisse présager que vous pouvez faire mieux et qu'il est temps de vous y mettre.

«Quelque temps avant notre mariage, j'ai avoué à Rose que j'avais eu une aventure. Elle était outragée et, au cours de la dispute qui a suivi, nous avons rectifié un tas de choses entre nous. Nous n'avions d'autre choix que de nous montrer totalement honnêtes si nous voulions aller de l'avant. Je crois sincèrement que notre mariage est heureux parce que nous avons d'abord fait face à nos problèmes.»

L'infidélité n'est pas la seule cause de conflits. En ateliers, nous avons relevé plusieurs objets de dispute, allant de la sexualité aux enfants, des beaux-parents à l'hygiène personnelle. Souvent, l'argument qui provoque la querelle est insignifiant. Décider qui fait la cuisine ne vous semble peut-être pas important; certains y voient une cause de rupture. Une situation s'envenime rarement à propos d'une chose, mais plutôt à cause de la manière dont on perçoit cette même chose, dont elle survient et dont on y fait face.

La germination d'un conflit

Les conflits sont des microbes qui se développent sous un certain climat. Ils naissent souvent de l'union de deux esprits étrangers qui ne se comprennent pas. Nous l'avons vu lors de précédents chapitres, cet être inconnu qui nous fascine lors d'une soirée peut devenir celui qui empiète sur notre intériorité. Alors que s'installe l'intimité, un rapprochement devient plus difficile. Votre partenaire est unique, il fait les choses à sa manière et ses priorités diffèrent des vôtres; cela peut engendrer un sentiment d'oppression. Si vous tentez de lui imposer vos valeurs et d'en faire votre doublure, il se sentira opprimé à son tour. Mike fut attiré vers Cathy parce qu'elle était mère de deux enfants; bientôt il devint hargneux parce qu'elle s'occupait d'eux à son détriment. Si l'identification s'avère impossible, l'éloignement s'ensuit. Les sautes d'humeur peuvent aller s'accumulant. Un sarcasme peut passer inaperçu mais la nième mauvaise plaisanterie vous rendra violent. Si votre amant actuel pratique le même humour noir que votre ex-conjoint (ou que votre mère), votre seuil de tolérance sera moins élevé.

On remarque davantage les défauts que les qualités. Ce qui vous a attiré vers l'autre (la couleur de ses yeux, sa gentillesse, son rire enjoué) sombre vite dans la normalité. Bientôt on prendra tout cela pour acquis. Cependant, il en va autrement des causes de déplaisir. Chacune rouvre une vieille blessure et l'exaspération va grandissant. Le climat devient idéal pour que mûrisse une dispute.

Une fois le climat propice, il suffit d'une étincelle pour que le conflit éclate. La manière varie selon chacun, mais une constante demeure : la crise survient quand l'autre refuse de se plier à notre désir (qu'il s'agisse de fidélité ou de lessive). Peu importent l'amour et l'affection, si le climat est propice et que nos besoins sont frustrés, nous nous battrons afin qu'ils soient reconnus.

À partir de la première étincelle, les choses peuvent suivre des cours différents. Nous nous attarderons à quelques scénarios qui peuvent s'ajuster à différentes situations.

Il faut d'abord déterminer si le conflit touche l'un de vous ou s'il vous concerne tous deux. Un conflit implique évidemment les deux parties, mais l'un des partenaires est toujours plus touché. «Habituellement, c'est moi qui m'emporte», affirme Sue. «Ian est très calme. Mais lorsqu'il se fâche, je conserve mon sang-froid.»

Les conflits peuvent suivre la courbe ascendante d'une spirale. Une inflexion de la voix qui vous agace, qui entraîne l'exaspération puis l'irascibilité, la colère et le reste.

Reconnaître le conflit

À mesure que vous prendrez conscience du conflit potentiel, votre organisme vous enverra certains indices. Vous serez tendu, nerveux, triste ou fatigué. Ces signes physiques révèlent que quelque chose ne va pas. Aussitôt que vous vivez une situation qui ne vous convient pas, vos sons et images intérieurs se modifient.

«Lorsque je sens monter la colère, j'imagine Maggie triste et distante qui m'ignore, comme si je la voyais à travers une vitre. Quand les choses se sont tassées, je l'imagine et je la vois clairement, comme si la vitre n'était plus là.»

«Quand je m'aperçois que Ian fait quelque chose qui ne me plaît pas, j'entends une voix intérieure qui désapprouve ses gestes. «Il ferait mieux de faire cela» ou «Non! pas encore!» Je n'entends pas ces voix s'il ne fait rien pour me contrarier.»

Qu'advient-il alors? Le silence risque de vous séparer. «Liz se tait pendant quinze minutes lorsqu'elle est fâchée; puis elle sort de son mutisme et les choses s'arrangent», selon Kathy. Si vous choisissez de demeurer calme et silencieux avant d'affronter les contrariétés, vous avez acquis une excellente philosophie. À deux conditions : primo, si vous veillez à ce que le problème se résolve; secundo, à ce que ces sentiments négatifs ne refassent pas surface autrement, par exemple en migraines ou en incidents divers.

Les mécanismes de défense

L'être humain peut à force de volonté ne ressentir aucune émotion. Si un sentiment négatif menace une relation qui vous importe, votre organisme choisira peut-être de faire taire vos émotions. Aussitôt que naît un tel sentiment, l'inconscient l'enterre profondément et vous vivez sous anesthésie. C'est à ce mur que se heurtent plusieurs couples après tant d'années de vie commune. Ce qui semblait un ménage idéal s'écroule dans les remous du divorce. L'entourage s'en étonne, surtout lorsque les conjoints admettent qu'ils n'éprouvaient plus rien depuis de nombreuses années. Les premières disputes leur étaient désagréables ; leurs sentiments se sont ensuite estompés et l'éducation des enfants prenait tout leur temps. Il n'y aurait qu'un jeune et bel amant ou un nouvel emploi pour rendre à chacun la capacité de ressentir à nouveau une telle émotion. Pour leur rappeler ce qui leur manque et les obliger à s'en aller.

Après l'anesthésie des émotions, on peut recourir à la surdité et la cécité afin de filtrer ce que l'on préfère ignorer. John n'entendait jamais sa première femme quand elle l'appelait ; il n'aimait pas le son de sa voix. Celia ne s'aperçut pas du manque d'enthousiasme de son amant, parce qu'elle était prête à l'accepter.

On peut aussi choisir le martyr. On peut éviter une situation de crise en ne la laissant pas se produire, en acquiesçant au désir de l'autre et en le supportant quoi qu'il advienne. Cela comporte une part de désagréments (migraines, eczéma, cancer) qui ne sont que les répercussions physiques de la volonté refoulée. S'il n'est d'autre manière de vous démontrer les heurts d'une relation que de vous expédier à l'hôpital, l'organisme s'y résoudra. Si vous acquiescez toujours sans redire aux exigences de l'autre, les choses n'iront jamais s'améliorant. Si vous craignez qu'une remise en question ne détruise votre harmonie, réfléchissez avant d'agir. Si cette situation vous semblait convenable jusqu'à la fin de vos jours, tant mieux ! Sinon quittez tout de suite le bateau pendant que vous pouvez encore nager.

Chacun réagit à sa façon. Certains s'enterrent sous le silence alors que d'autres protestent de subtile manière. Écoutons Debbie : «Je ne dis jamais rien mais sa viande est toujours trop cuite lorsqu'il rentre tard.» Le message passe, sans attaque verbale.

«Aucun progrès n'est possible après une obstination. Chacun de nous est trop anxieux de gagner pour pouvoir véritablement communiquer ou même se calmer.»

Certains vont critiquer sournoisement, dire des mots doux trempés de vitriol ou passer une remarque acerbe sous un air de douceur. Cette guerre d'usure peut durer des jours sans que se livre le combat. Néanmoins, elle cause des ravages et un tort souvent considérables.

Cette situation force les partenaires à adopter des attitudes distinctes ou opposées. Ainsi, tout ce que l'autre dira entrera en contradiction avec vos convictions. Vous vous dissocierez de ses affirmations, les contredirez, vanterez leurs contraires, bref vous l'obstinerez sans cesse. Cela s'explique parce qu'une part de vous-même est déterminée à prouver que votre conjoint a tort ; vous cherchez donc à le contrarier en tout. En adoptant une telle attitude, chacun nie l'autre et se détruit en cherchant à abattre son partenaire.

Quand naît le ressentiment

Inévitablement, cette situation ne manquera pas de vous agacer jusqu'à devenir insupportable. Les sentiments négatifs s'additionnent et la présence de l'autre devient intolérable. Cette tension grandissante peut n'être marquée d'aucun signe extérieur, bien que l'exaspération soit certaine : vous ne souffrez plus un seul mot ou un geste de l'autre.

Les sentiments négatifs feront boule de neige, puis l'un de vous atteindra le seuil de la tolérance et se décidera à parler. Vous hausserez le ton ou vous fondrez en larmes. Les épaules deviendront tendues par tant de frustrations ou affaissées par le découragement. Vous direz des mots que vous n'avez jamais prononcés et vous entendrez des paroles qu'on ne vous avait jamais adressées. Un couple a même avoué se lancer à la tête le sucre et la farine!

Vous êtes ensuite sous l'emprise de la colère sans savoir ce qui l'a déclenchée. Il arrive que la scène se déroule en public, bien qu'elle ait généralement lieu en privé. Elle peut aussi prendre plusieurs formes. «Ne cherchons pas la cohérence», affirment Nicki et Robert, «car nous sommes différents selon les situations». N'escomptez pas avoir le dessus sur l'autre ou vous sentir coupable à son endroit. Ne croyez pas que la durée des disputes soit changeante. La vapeur s'accumule pendant des jours avant de former de lourds nuages gris. La tempête éclate différemment selon les individus et d'une fois à l'autre.

Vous apprendrez à vous quereller et vous modifierez vos tactiques à mesure que vous vous connaîtrez davantage. «Quand j'ai connu Ian, je refoulais ma colère pendant des heures. Je craignais d'élever la voix», dit Sue. «Il prétendait que j'avais l'air d'un lièvre effrayé. À présent, je crie pour que les voisins m'entendent!»

Les sentiments négatifs en engendrent d'autres. C'est ainsi que se défont les couples; ce qui était au début merveilleux, à force de sentiments négatifs, se transforme en cauchemar. Les méchancetés prennent le dessus. Ce qui n'était qu'une objection à ses retards peut devenir un interdit face à sa spontanéité, sa nonchalance et son appréciation du moment présent. D'une banale irritation, on passe à la colère, puis au silence et enfin à une séparation définitive.

Comment la situation se détériore-t-elle? Vous pouvez en prendre conscience en faisant le compte-rendu des événements à mesure qu'ils se produisent. Ensuite, comparez-les à celui de votre partenaire. Vous serez plus en mesure de faire face aux crises ultérieures à partir de ces renseignements.

Identifiez chaque étape conduisant à la brouille. Laissez votre conjoint, s'il le désire, faire de même de son côté. Comparez vos réponses et vous verrez que vos disputes sont généralement engendrées de même manière. Vous saurez comment éviter le piège dorénavant. Il y a beaucoup à apprendre en analysant ce qui se passe en situation de crise, de même qu'en étudiant le point de vue de l'autre. Les divergences de vues sont souvent une leçon à part entière.

Régler un conflit

Après avoir déterminé ce qui a fait naître le conflit, on doit chercher à le résoudre. Chaque couple a sa propre façon de se disputer et aussi sa propre manière de se réconcilier.

On doit d'abord se demander : «Qu'est-ce que je veux?» Il est alors souhaitable de répondre immédiatement : «Je veux régler ce problème». Un conflit survient lorsque l'un des partenaires désire quelque chose dont il est frustré. Mais de quoi peut-il s'agir?

Il peut s'agir d'un divorce. Alors, tous les conseillers matrimoniaux et toutes les réconciliations n'y pourront rien ; l'autre se dirigera inexorablement là où il souhaite aller. Si c'est votre cas, lisez tout de suite le chapitre sur la séparation. Si vous envisagez une rupture, n'éternisez pas les conflits et passez aux actes.

Votre conjoint n'est peut-être pas en mesure de vous offrir ce dont vous avez besoin. Qu'il s'agisse d'une piscine dans le jardin ou d'un compliment sur la piste de danse, d'un diamant ou d'un enfant, chacun a ses limites quant à ce qu'il peut offrir. Si vos besoins ne sont pas satisfaits, trois options s'offrent à vous : réévaluez vos besoins ; modifiez la manière dont vous tentez de les satisfaire ; trouvez quelqu'un qui puisse les satisfaire. Nous vous suggérons quelques trucs afin de combler vos besoins, mais si votre partenaire ne peut s'y plier, vous devrez réajuster vos priorités.

Votre couple a de meilleures chances de survie si votre partenaire est en mesure de satisfaire vos exigences, bien qu'il s'en abstienne. Assurez-vous d'abord que ce que vous désirez vous apportera satisfaction. Tenez-vous tant à ce qu'il vous accompagne au théâtre le samedi soir, ou ne souhaitez-vous pas plutôt passer plus de temps ensemble? Désirez-vous qu'elle change d'attitude face à l'argent, ou qu'elle change simplement le ton de sa voix lorsqu'elle en parle?

Il est essentiel de savoir ce qui vous satisfera. Les brouilles durent plus longtemps qu'elles ne devraient quand l'un des protagonistes a obtenu ce qu'il souhaitait sans même s'en rendre compte!

«J'avais besoin d'être rassurée et j'étais convaincue qu'elle me donnerait cette assurance seulement si elle acceptait de passer la nuit chez moi. Elle ne pouvait pas parce qu'elle travaillait de nuit; mais elle était si aimante que cela me rassura.»

Lorsque vous savez ce que vous voulez, il vaut mieux se garder de l'obtenir jusqu'à ce que les esprits se soient calmés. Le dialogue, la discussion, la négociation ne valent rien si on les entame une arme à la main. Si vous commenciez les pourparlers dans un esprit de règlement et que les choses se gâtaient en chemin, il vaudrait mieux y renoncer pour l'instant.

Pour ce faire, vous pouvez procéder de diverses manières.

Que l'un de vous deux soit malheureux, ou que vous le soyez tous les deux, tout ce qui favorise la bonne humeur vous aidera, qu'il s'agisse de préparer un espresso ou de jouer au tennis. Choisissez un endroit qui plaise à chacun. Tout ce qui vous rappelle d'heureux moments sera appréciable : les souvenirs d'une villégiature annuelle en compagnie de vos parents, un pique-nique à la campagne avec votre conjoint. Ayez vos qualités en tête — le réconfort que vous savez apporter à autrui, le cran avec lequel vous avez affronté un patron tyrannique. Revivez ces moments en pensée, à haute voix, rappelez-vous chaque détail, chaque sentiment associé à ce moment.

Tout ce qui peut détourner votre attention permet d'éviter un conflit. «Notre fille Emma met souvent fin à nos querelles. Elle nous demande pourquoi nous crions et nous commençons à rire», disent Rose et Philippe. Plusieurs couples choisissent de détourner leur attention de la dispute en s'éloignant. Paul avoue toutefois : «Je n'apprécie pas que Tom doive être seul afin de retrouver sa bonne humeur. Je me sens alors étranger à lui.» L'un des couples interviewés se réconcilie en racontant des plaisanteries !

On peut faire plusieurs choses pour se débarrasser de la mauvaise humeur. «Souvent, nous nous regardons nous disputer. Nous devenons extérieurs à ces gens en discorde et nous les trouvons ridicules», admettent Helen et James. Ric conçoit les choses autrement : «Je m'entête lorsque je désire quelque chose. Après quelque temps, je nous vois en image, Maria et moi. Puis cette image s'agrandit et elle devient plus importante que le sujet de dispute. Alors, je cesse de me quereller.»

On peut aussi modifier ce qui déclenche les conflits. La plupart piquent une colère parce qu'ils ont capté les signaux colériques de l'autre. La querelle ne sera qu'un feu de paille si l'un des conjoints adopte une attitude détendue, s'il considère la dispute positive plutôt que négative et s'il ne se laisse pas emporter par les émotions. Cela peut sembler difficile lorsqu'on est dans le tourbillon de l'action, mais si on ne réagit pas émotivement, l'autre ne pourra pas entretenir seul le conflit.

Débattre la question

À présent, vous vous sentez mieux. À tout le moins, vous pouvez vous regarder et écouter ce que l'autre dit. Que faire ensuite?

Il est temps de débattre la question responsable de la brouille, s'il en est une. Qu'est-ce que vous souhaitez changer? Qu'est-ce que l'autre souhaite?

«J'ai besoin de discuter en profondeur de ce qui a amené la pagaille. Ça rend Malcolm fou mais si nous ne le faisons pas, j'éprouve un certain ressentiment et il ne faut pas. Tant que nous discutons, les choses vont mieux.»

À maintes reprises, les couples nous ont parlé de ce besoin de dialoguer, de connaître les deux côtés de la médaille sans qu'aucun ne prenne parti. Plusieurs doivent discuter et comprendre le point de vue de l'autre avant de contenir leurs émotions. Les conjoints doivent régler les conflits à mesure qu'ils se présentent afin d'en enrayer la source.

Il faut s'identifier et comprendre les vues de l'autre. Ainsi, la colère n'a aucune emprise. Lorsque vous partagez un moment d'intimité, avouez à l'autre quels sont ses agissements qui vous agacent. Abstenez-vous de faire allusion à ce qui vous rend dingue, vous seriez vite à couteaux tirés! Demandez à l'autre de vous expliquer comment elle en vient à agir ainsi, quelles sont ses appréhensions, ce qu'elle espère tirer de son geste, ce qu'elle ressent. Alors qu'elle vous l'explique, mettez-vous à sa place de telle sorte que ses valeurs deviennent les vôtres et que son passé soit votre histoire. Il devient difficile de se quereller avec soi-même.

Les sujets de mésentente importants entraînent nécessairement des recours appropriés, telle la négociation. Toute chose importante, même si elle ne fait pas l'objet d'une querelle, doit être négociée : le travail, l'entretien ménager, les enfants, le budget, bref tout sujet de confrontation. Même les vétilles peuvent être négociées devant un Campari soda.

Il se peut que vous ne puissiez négocier. Plus vous insistez pour parvenir à un règlement, plus l'autre offre de la résistance. En ce cas, il y a probablement anguille sous roche. Il arrive très souvent que plus l'un se montre favorable à une solution, plus l'autre s'y oppose. Nous ne conseillons pas de renoncer à vos demandes afin que l'autre puisse gaiement empiéter sur vous. Mais si la résistance s'intensifiait face à une demande raisonnable, vous pourriez avoir à résoudre plus d'une question. L'autre pourrait se croire menacé, de sorte que plus vous vous prononceriez en faveur de la chose, plus il s'y opposerait. Ainsi, il rétablirait l'équilibre entre votre position et celle qui doit être la sienne. Il faut se montrer reconnaissant d'une telle audace, de ce que l'autre ne laisse pas tomber facilement et qu'il vous estime suffisamment pour n'avoir pas à vous apaiser sans cesse. Il n'en demeure pas moins que rien ne sera résolu tant que vous ne ferez pas de compromis. Ceci permet à l'autre de savoir qu'il vous importe davantage que l'objet de votre dispute et le rassure quant au plaisir de donner.

Les brouilles répétitives

Il se pourrait que vous résolviez le problème et que le conflit perdurât. Si le même problème revenait encore et toujours, ou si vous vous emportiez pour un rien, il faudrait voir ce que cache la pointe de l'iceberg. Qu'est-ce qui rend impossible la négociation et l'identification à l'autre? Demandez-vous quelles sont vos priorités. Sont-elles ce sur quoi vous vous êtes entendus ou s'agit-il d'autre chose plus tangible? Demandez-vous une allocation plus généreuse alors qu'en réalité vous souhaitez un engagement plus sincère? Demande-t-elle que vous passiez plus de temps en sa compagnie alors qu'elle a besoin de fidélité?

Il se peut que le sentiment négatif vous apporte ce que vous recherchez. Ou qu'il soit à votre désavantage de résoudre le problème. Si vous recevez plus d'attention en pleurant qu'en souriant, alors vous avez raison de pleurer. Si vos cris incitent l'autre à faire à votre guise, pourquoi baisser le ton? L'autre a tous les motifs de cesser de vous obéir si cela l'opprime. Si les nuages ne se dissipent pas et si les mêmes tempêtes reviennent, demandez-vous s'il ne vaudrait pas mieux faire face au problème plutôt que l'éviter.

«Mes maladies intermittentes nous ont rapprochés. Ainsi, j'ai pris congé et j'ai passé plus de temps auprès de Tina. Elle a pu me donner les soins et l'attention que ne permettait pas mon attitude indépendante.»

Si cela se produisait, demandez-vous ce que vous avez à gagner en étant de mauvaise humeur. Songez ensuite à d'autres moyens d'y parvenir. Alan n'aurait-il pas pu passer plus de temps avec Tina et la laisser le bichonner sans tomber malade? Votre amoureux peut-il vous rassurer sans que vous le rendiez jaloux? Ne pouvez-vous pas obtenir l'assentiment de votre épouse simplement en le lui demandant plutôt qu'en vous montrant de mauvaise humeur?

Les colères qui dépassent les problèmes cachent souvent autre chose. Il faut alors considérer tous les aspects de la relation afin de découvrir ce qu'il faut changer.

Nous avons fait état de plusieurs aspects sur lesquels peuvent s'appuyer les modifications. Est-ce parce que vous ne communiquez pas? Êtes-vous incapables de savoir qui vous êtes parce que vous n'en parlez jamais? La communication est-elle impossible parce que vous ressemblez à des revenants avec qui il vous était impossible de communiquer? Peut-être ne répondez-vous pas aux aspirations de l'autre et malgré tous vos efforts, les morceaux du puzzle ne s'emboîtent pas? Peut-être ne vous connaissez-vous pas suffisamment afin de vous identifier à la relation? Dans ce cas, vous ne pouvez répondre aux besoins de l'autre.

Consultez de nouveau le compte-rendu du problème dont nous avons parlé au début de ce chapitre. À quels moments pourriez-vous mettre fin au conflit à partir des moyens suggérés? Vous pouvez en discuter avec votre conjoint, mais vous pouvez y mettre fin seul/e en décidant d'une action à prendre. Ce livre n'est qu'un ouvrage destiné aux gens sincères qui désirent connaître les mécanismes d'une relation. Nous n'y faisons pas état de ruses subtiles qui permettent à quelqu'un de tirer profit d'un conflit et qui causent autant de douleur à l'un qu'à l'autre. Nous connaissons d'autres manières de résoudre les conflits. En cela, nous ne différons pas des thérapeutes, des conseillers matrimoniaux, des prêtres, des parents, des amis et des responsables du personnel. Si vous avez besoin d'aide, demandez-en.

Ne perdez jamais de vue qu'une mauvaise passe n'est jamais qu'un dur moment à vivre. Elle peut défaire une union ou la solidifier. Les personnes interviewées nous ont avoué que les moments difficiles leur avaient permis d'améliorer la qualité de leur rapport, que les disputes leur avaient insufflé un regain d'énergie et qu'une séparation momentanée leur avait permis de voir ce que pouvait être leur relation. Un ouragan peut entraîner une catastrophe en détruisant tout sur son passage. Mais il peut aussi amener une bouffée d'air frais, soulever la poussière et chasser les nuages pour que filtre le soleil.

Réflexions sur le treizième passage

Le climat

L'endroit

Où peut avoir lieu / ne pas avoir lieu une dispute?

Le moment
Si vous pouviez convenir d'avance des moments de crise, pourriez-vous faire un schéma quant aux intervalles, aux saisons, aux moments qui précèdent ou qui suivent les événements importants de votre vie? Les périodes de conflits durent-elles longtemps? Combien de temps faut-il avant que le conflit n'éclate? Les étapes sont-elles clairement identifiables?

Les catalyseurs

Les facteurs extérieurs
À l'exception de l'un de vous, qu'est-ce qui peut déclencher un conflit?

Les gestes
Quels gestes l'un de vous peut-il poser qui, tôt ou tard, déclencheront un conflit?
Votre conjoint adopte-t-il un ton de voix particulier qui vous prévienne de l'imminence du conflit?
Votre conjoint adopte-t-il une attitude, une posture ou une expression qui permette de déceler l'imminence d'un conflit?
À quoi vous attendez-vous lorsque vous voyez ou entendez ces avertissements?
De quelle manière ceux-ci affectent-ils votre voix ou votre expression? (Vous devriez demander à votre conjoint. Attendez-vous à quelques surprises!)

La courbe ascendante

La progression
Si vous deviez faire le schéma de votre ligne émo-

tive au cours d'un conflit, quelle courbe prendrait-elle?

Les règlements au sujet de la conduite
Quelle est la limite que vous ne devez pas franchir afin de ne pas perdre votre conjoint?
Quelle est la limite que l'autre ne doit pas franchir afin de ne pas vous perdre?

Types de comportement
Un étranger observerait-il chez vous un type de comportement particulier en période de difficultés (ex. : si vous jetez le blâme sur l'autre qui vous calme, ou vice-versa)?
En période de difficultés, dites-vous ou faites-vous certaines choses, non pas tant pour faire valoir vos opinions ou vous défendre, mais plutôt pour :
a) punir votre conjoint?
b) vous donner plus d'atouts dans les négociations?
c) forcer une rupture?
Votre conjoint agit-il ainsi?

Les Résolutions

Les signaux subtils
Qu'est-ce qui vous indique dans le comportement de l'autre que le conflit tire à sa fin, avant que ne soient entamées les réconciliations?
Qu'est-ce qui indique dans votre comportement que le conflit tire à sa fin?

Les Répercussions
Après la dispute, vous reste-t-il quelque amertume ou l'amour est-il plus fort qu'avant?
Si vous traciez le schéma de vos émotions après une querelle, quelle courbe prendrait-il?

Le contenu
Si une mésentente a engendré le conflit, avez-vous dans un premier temps résolu la mésentente ou le conflit lui-même?

VIII
La Séparation

La littérature, le théâtre et le septième art nous présentent la rupture amoureuse comme s'il s'agissait de la fin du monde. Celle-ci n'est justifiée que si elle engendre la réunion de deux amants, ou si elle libère l'un d'eux pour qu'il s'unisse à l'amour de ses rêves.

La réalité est cependant dépourvue de ce lyrisme romantique. Plusieurs nous ont raconté de tristes histoires relatives à des ruptures passées. D'autres ont préféré y voir la conclusion positive d'une relation qui devait un jour se terminer. Nombreux sont ceux qui avouent avoir tiré un enseignement profitable d'une rupture saine, qui les a poussés à repenser leur existence. Certains y ont puisé la force nécessaire à une réconciliation.

Ce chapitre traite les divers aspects de la rupture : décider du moment propice, savoir si une réconciliation vaudrait mieux ou s'il est préférable de se quitter. De plus, il sera question des répercussions qu'entraînent de courtes séparations.

S'il valait mieux mettre un terme à une union, comment s'y prendrait-on pour que le départ soit positif? Que feriez-vous si on vous quittait? Ce chapitre s'intéresse aux ruptures positives et prépare à affronter une vie nouvelle. Car enfin, qu'est-ce qui est souhaitable : s'enliser dans une relation négative pour chacun ou y mettre un terme et faire face à un nouveau destin, à un autre amour?

Quand partir et quand rester

Une relation positive suit son propre rythme. Le tempo peut être plus rapide pendant les premiers mois et ralentir au cours de la quarantième année. Les choses coulent en douce dans la certitude et la bonne entente.

Quand le rythme se fait hésitant et qu'une fissure lézarde le socle d'une solide relation, il faut alors remettre plusieurs choses en question. Les problèmes sont quelquefois apparents : disputes, cris, absences prolongées. Parfois, ils sont insidieux : tensions, maladies, surcharge de travail derrière lequel on camoufle ses absences, etc.

Les symptômes peuvent varier mais une constante demeure : la faille s'approfondit entre ce que vous recherchez et ce qui vous est dévolu. Si vous souhaitiez partager votre vie avec un être gai débordant de vitalité et que l'autre provoque les larmes et les nuits d'insomnie, ou si vous désiriez fonder une famille et que l'autre ne partage rien avec vous sinon une sexualité satisfaisante, il faudrait peut-être songer à le quitter. Ou à changer quelque chose à votre rapport. Ou à négocier. À tout le moins, décider de ce qu'il convient de faire.

Comment prend-on une telle décision? L'approche proposée permet d'en arriver à une décision après avoir évalué chacun des problèmes.

Considérez les options qui s'offrent à vous

En premier lieu, il convient de considérer les options qui s'offrent à vous. Les extrêmes étant de partir et de rester, d'autres possibilités présentent des solutions intermédiaires. Par exemple, se séparer tout en demeurant amants; rester en renégociant chaque point de l'entente; déménager, emménager ou vendre la maison? Comme un jeu de loterie, les combinaisons sont innombrables; plus vous en découvrirez, plus vous augmenterez vos chances de toucher le gros lot.

«Aux premiers mois de notre mariage, nous avons vécu ensemble et nous sommes devenus cinglés. Lorsque j'ai suivi un cours, j'habitais à l'auberge; cela nous a redonné plus d'indépendance et le recul nécessaire pour évaluer notre situation. Nos amis prétendaient que nous étions fous, mais lorsque je suis retournée vivre auprès de mon mari, nous avions changé pour le mieux.»

Il se pourrait que les différentes options qui s'offrent à vous paraissent farfelues. Elles vous sont inconnues, vous ignorez de quoi il retourne. Il vous faut réfléchir à votre situation et à celle qui vous apparaît souhaitable.

Posez des questions à vos parents et amis. Soyez cependant méfiants. Certains amis réagissent à la rupture comme le peuple de Rome face aux combats de gladiateurs. On devient excité ou horrifié à l'idée d'une rupture entre deux êtres que l'on connaît. Ce désarroi est généralement issu d'une projection de soi-même; car si Tricia et Shaun se sont séparés après vingt-deux années de vie commune, personne n'en est exempt. Votre entourage s'identifie à vous et à votre conjoint. Si vous êtes celui qui envisage une rupture, préparez-vous au coup de grâce : recevoir le blâme. Vous aurez des motifs valables et des problèmes insurmontables, mais ceux qui s'identifient à votre conjoint n'auront aucune sympathie pour vous.

Les meilleurs conseils proviendront de ceux qui vous connaissent et vous aiment, qui souhaitent votre bonheur plus que tout, dussiez-vous pour cela vous séparer ou vous réconcilier. «Pas étonnant que vous vous tapiez sur le système, nous a déjà confié un ami. Vous travaillez comme des esclaves. Je m'étonne que vous n'ayez pas fait une dépression nerveuse ou que vous ne vous soyez pas querellés.» Si vous avez un tel ami, invitez-le à boire une bouteille de muscadet bien frais et demandez-lui d'être votre troisième oeil. Il ne s'agit pas de vous juger ou de vous encombrer de conseils, mais plutôt de vous décrire la situation d'un point de vue extérieur. Ne lui demandez surtout pas ce qu'il ferait à votre place. Il n'est pas dans vos souliers. Il n'a pas vos ennuis ni vos possibilités. Pour cette raison, ne risquez pas une solide amitié en demandant un avis que vous pourriez regretter d'avoir suivi.

On évite les pièges involontaires de l'amitié et de la parenté en consultant des professionnels faisant preuve d'objectivité : thérapeutes, conseillers matrimoniaux, etc. «Nous avions la gorge serrée à l'idée de consulter un conseiller matrimonial», disent Collin et Shirley. «Mais elle nous a beaucoup aidés.» Avoir recours à un spécialiste ne signifie aucunement que l'on ne peut surmonter seul ses problèmes. C'est au contraire une preuve de maturité. On ne se coupe pas les cheveux soi-même parce qu'on ne voit pas sa nuque; pourtant, certains essaient de résoudre leurs problèmes matrimoniaux en ne se laissant aucun recul.

Les éléments permettant d'évaluer sa situation se trouvent immédiatement autour de soi. Regardez vivre votre conjoint, écoutez-le. Son instinct de préservation peut déjà l'éloigner de vous. Quand Robin s'est aperçu que Maureen ne projetait plus de sorties en sa compagnie, il a su qu'elle se désintéressait de lui. Certains réagissent quand on les laisse à l'abandon, par contre ils rejettent leur conjoint depuis plusieurs mois déjà.

Réfléchissez à votre situation

Votre instinct de conservation peut vous indiquer soit la sortie soit un fauteuil au coin du feu. Ne considérez pas seulement vos sentiments mais aussi ce qui vous semble souhaitable. «Très tôt, j'ai envisagé une rupture», dit Eleanor. «Puis un jour, je me suis surprise à confier à quelqu'un que nous en avions pour moins d'un an.»

Peut-être songez-vous à mettre un terme à votre relation, tout en sachant inconsciemment qu'il vaut mieux la poursuivre encore quelque temps. Il se peut que vous preniez des distances face à votre conjoint — en faisant des heures supplémentaires au bureau ou en suivant des cours du soir — parce que vous imaginez l'avenir avec un-e autre. Si la rupture s'annonçait difficile, avec sa part de déceptions et de détresse morale, votre conscient pourrait camoufler vos véritables besoins. Voilà pourquoi il convient de bien réfléchir à la situation.

Les couples nous ont enseigné que la meilleure approche en ce cas demeurait l'éloignement. Lorsque la proximité devient gênante, il est facile de voir le pire : il suffit d'un cheveu dans l'évier, de casseroles sales sur le poêle, d'une brouille ou de relations sexuelles frustrées pour oublier tout le potentiel de la vie à deux. En prenant quelque distance, on est en mesure de cerner la situation dans son ensemble.

«Nous nous sommes séparés un an après notre rencontre. La rupture a duré une semaine. Je songeais à tout ce que je manquais en n'étant pas avec Jane. Alors que nous étions ensemble, je ne voyais que les problèmes immédiats; la séparation m'a permis de rajuster mon tir. Nous nous sommes réconciliés et nous nous sommes mariés.»

Si l'avenir vous apparaît émaillé de chaudrons à récurer et de scènes odieuses, personne ne vous jettera la pierre parce que vous songez à partir. Pensez un instant aux éclats de rire, aux petits déjeuners au lit, au sommeil sur son épaule; à quoi bon un avenir commun privé de ces plaisirs? Entre la corvée des chaudrons et la triste perspective d'un avenir en solitaire, vous essayez de sauver les meubles.

Sauf que l'inverse peut très bien réussir. Shaun et Tricia ont envisagé une séparation en songeant aux avantages que cela représentait pour eux. En moins de deux mois, ils avaient convenu d'une séparation qui seyait à chacun.

Une partie de la question consiste à imaginer que vous devez mettre un terme à votre relation. Si tel était votre choix, pensez à ce que vous ressentiriez seule sans votre conjoint. On peut contrer la tristesse à l'idée de la solitude en faisant la connaissance de quelqu'un. Mais il n'y a qu'une manière de contrer la tristesse à l'idée de quitter un être cher : s'y accrocher.

Essayez de concevoir l'avenir après votre rupture. Qu'est-ce qui vous manquerait, privé ainsi de la présence de l'autre? Qu'est-ce que vous aimeriez ne plus avoir à subir? Qu'est-ce qui vous rendrait heureux, suite à la séparation? Qu'est-ce qui vous manquerait? Sans l'autre, votre vie changerait-elle — à la maison, au travail, face à vos amis?

Afin de consentir à une décision, on a besoin d'être rassuré quant à nos propres capacités de faire face aux conséquences qu'implique un tel choix. Que faudrait-il pour que vous consentiez à rompre? Retrouver l'estime de soi, avoir votre propre maison, la garde des enfants? Que faudrait-il pour que vous consentiez à rester auprès de l'autre? La promesse que vous referez l'amour, la certitude que vous saurez faire face aux épreuves, la découverte soudaine qu'elle vous aime encore? Philippe découvrit qu'il ne mettait pas fin à un mariage malheureux simplement parce que ses parents aimaient beaucoup sa femme. Il en discuta avec eux et lorsqu'ils comprirent ses raisons, il fut en mesure d'entamer les procédures de divorce.

Modifier la relation

Il sera plus difficile de demeurer que de s'en aller si l'on est convaincu que rien ne changera. La perspective d'engueulades continuelles et de longs silences viendra à bout des meilleures résolutions. La relation doit changer; vous en êtes conscient. Mais de quelle manière? C'est sur quoi porte l'autre partie de la question.

Trois éléments vous seront nécessaires. Tout d'abord le soutien moral de vos amis qui ne critiqueront pas votre idée fixe, de vos collègues qui vous pardonneront vos distractions, des professionnels qui vous écouteront et des amateurs qui vous remonteront le moral pendant la fin de semaine. Le secours qui vous est nécessaire pourrait ne pas provenir de vos proches. Peut-être avez-vous simplement besoin d'argent afin de quitter la résidence paternelle ou pour engager une aide domestique? «Nous avons toujours engagé quelqu'un pour faire les travaux d'entretien ménager. Nous sommes persuadés qu'en cela réside la clef de notre succès», admettent Frank et Eleanor.

Un autre élément est aussi nécessaire: la volonté de changer de chacun des partenaires. Car si les choses demeuraient telles qu'elles sont à présent, peu importe le nombre de lunes de miel en Crète, la situation ne ferait que se détériorer. En l'espace d'une semaine, d'un mois ou d'une année, vous vous retrouveriez à la case départ en vous posant la sempiternelle question: «Devrais-je la quitter?»

La situation peut changer. Cela s'est produit maintes fois pour nous-mêmes et pour les couples que nous avons rencontrés. Des scènes horribles peuvent réconcilier un couple désuni et aider les époux sur le point de divorcer à célébrer leurs noces de diamant. Mais si l'un de vous se pose sans cesse la question à savoir s'il est heureux, ne perdez plus votre temps, votre énergie et votre amour. Employez-les à meilleur usage.

Un vent de renouveau

Toute fin implique un recommencement. Après la tempête viendra le beau temps. Le soleil brillera pour vous seul/e; il brillera aussi pour vous et quelqu'un qui vous conviendra davantage. Sachez que chaque moment perdu en mauvaise compagnie vous prive d'un moment auprès du compagnon idéal. Une rupture peut être concluante, si elle marque la fin d'une relation qui n'a plus sa raison d'être.

Quand le rythme d'une relation est rompu, on doit se demander si on le retrouvera. Dans l'affirmative, si le tempo est régulier et si on désire y danser, on doit mettre tout en oeuvre pour préserver la relation. Mais si toutes les tentatives se soldaient en autant d'échecs, il vaudrait mieux sortir de la ronde et faire face au silence.

Réflexions sur la séparation

1. Songez à toutes les perspectives d'avenir qu'offre votre relation. Toutes les idées sont bonnes, même les plus saugrenues.
2. Que pense votre conjoint de votre relation? Que répond-il lorsque vous le lui demandez? Quels sont les signes qui témoignent de ses dires? Quels sont les signes qui contredisent ses dires?
3. Que pensez-vous de votre relation conjugale? Que répondez-vous lorsque la question vous est posée? Quels sont ceux de vos agissements qui témoignent de vos dires? Quels sont ceux de vos agissements qui contredisent vos dires?
4. Qu'est-ce qui découlerait d'une séparation? Comment vous sentiriez-vous (positif ou négatif)? Quelles conséquences une séparation aurait-elle sur votre vie :

quant au travail?
quant au logement?
quant à votre temps libre?
quant à votre entourage?
autres?

Dans l'éventualité d'une séparation, qu'est-ce qui vous manquerait? Qu'auriez-vous à gagner suite à une séparation? Quel serait le plus sombre avenir que vous puissiez envisager? Quel serait le plus bel avenir que vous puissiez envisager? Qu'adviendrait-il de votre partenaire?

5. Que vous faudrait-il pour vous résoudre à partir?
6. Qu'adviendrait-il si vous demeuriez unis? Quel est votre plus vil fantasme? Quel est votre plus beau fantasme?

À chacun de vous : comment vous sentiriez-vous (positif ou négatif)? Quelles conséquences une séparation aurait-elle sur votre vie :

quant au travail?
quant au logement?
quant à votre temps libre?
quant à votre entourage?
autres?

Qu'est-ce qui vous manquerait si vous conveniez de poursuivre la vie commune? Qu'auriez-vous à gagner si vous conveniez de poursuivre la vie commune? Quel serait le plus sombre avenir que vous puissiez envisager? Quel serait le plus bel avenir que vous puissiez envisager? Qu'adviendrait-il de votre partenaire?

7. Que faudrait-il pour vous résoudre à poursuivre la vie commune?

Tourner la situation à son avantage

Aux premiers instants de la vie, une cellule unique se sépare en deux. Ce qui jusqu'alors constituait un tout se divise lentement, mais inexorablement, en deux moitiés qui deviendront à leur tour des entités.

Lorsqu'une relation s'achève — que ce soit par choix ou par la force des choses — on y voit souvent la fin du monde. Le jour où l'on prend cette ultime décision, on a généralement connu la douleur morale, les désillusions et on a perdu son amour-propre. Les dernières heures de la vie conjugale sont perçues comme la triste apothéose de la détresse affective et le comble du malheur.

Il n'est pas nécessaire qu'il en soit ainsi. L'entité qu'était la relation peut se séparer pour redevenir les deux constituants qui s'étaient un jour unis. En redevenant célibataire, on peut retrouver sa singularité tout en ayant gagné l'expérience apportée par la relation. À partir d'une approche positive, chaque pas libérateur éloignant du conjoint peut favoriser une meilleure relation, d'abord face à soi-même puis envers un autre partenaire.

Jeremy et Sarah ont entamé les procédures de séparation alors qu'ils participaient à l'un de nos ateliers.

« Tous les exercices que nous faisions démontraient que nous avions des buts différents, que nos espérances envers l'autre étaient conflictuelles. Après l'atelier, nous sommes rentrés à la maison et nous avons discuté pendant des heures. Éventuellement, nous avons convenu de ne plus partager l'appartement. Dès que fut prise cette décision, nous nous sommes éloignés. »

L'idéal est d'en arriver à un accord mutuel. Jeremy et Sarah ont pris la décision en même temps et se sont dirigés vers un même but : se séparer.

S'en aller ou se faire plaquer

Les choses ne sont pas toujours aussi définies. Souvent un seul des conjoints souhaite une séparation. On n'a guère le choix : ou l'on s'en va ou l'on se fait plaquer. D'une manière ou l'autre, la situation peut être pénible. Écoutons le témoignage de Paul : « Bien que j'étais convaincu d'avoir pris la bonne décision, j'ai hésité durant des mois avant de quitter ma femme. ». Il faut, lorsqu'on est décidé, s'en tenir à sa décision et agir.

Il faut décider de ce qu'on souhaite pour soi-même et pour l'autre. Si vous initiez la séparation, vous êtes en position avantageuse. S'il vous importe de quitter l'autre en lui laissant son amour-propre et votre soutien, vous devrez faire certaines choses. Mais sachez aussi ce que vous-même désirez et assurez-vous d'y avoir droit. Trop souvent, ceux qui mettent un terme à leur vie conjugale se sentent coupables de rechercher un avenir meilleur et paient une énorme rançon émotive et financière. Cela n'est pourtant pas nécessaire. Vous avez droit au bonheur et à la liberté.

Alors que souhaitez-vous pour vous-même? Vaut-il mieux que vous partiez? Il ne faut pas prendre pareille décision dans le feu de la colère, simplement par défi, mais après mûre réflexion lorsque sont retombées les poussières du combat. Si votre départ n'est qu'une manière déguisée de crier au secours ou de poignarder l'autre dans le dos, les conséquences seront désastreuses : vous serez déchirés entre le désir de rester et celui de partir. Mais s'il ne fait aucun doute quant à l'impossibilité d'un avenir commun, vous pouvez entreprendre les démarches qui vous conduiront sans détours à la liberté.

Comment se quitter

Comment quitte-t-on son conjoint ? On décide de ce qu'on souhaite pour soi-même et pour l'autre. Si vous savez qu'il n'y aurait rien de pire que lui apprendre la nouvelle après avoir fait l'amour, alors n'en faites rien à moins que vous ne souhaitiez le blesser pour la vie. Si vous savez qu'une longue querelle vous laissera épuisée et désespérée, fixez un délai de cinq minutes pour vider la question au bout duquel vous partirez. S'il vous faut éclaircir une pléthore de détails, donnez-vous cinq heures pour le faire. « Nous avons dîné au restaurant pour mettre un terme à notre union », raconte James. « Nous avons convenu que c'était une sage décision. Nos amis croyaient que nous étions fous. »

Il y aura toujours des gens qui croiront que vous êtes fous de mettre fin à votre vie conjugale. La difficulté du départ peut être amplifiée par les réactions passées et présentes de l'entourage face à la situation. « La garce, elle l'a plaqué ! », « Il l'a laissée tomber, le salaud ! », « Ne crains rien ; maman ne s'en ira pas ! », « Tout va bien, papa est là ! ». Si maman est partie ou si papa n'était pas là, vous connaissez les affres d'un départ et vous pouvez craindre de les infliger à un être que vous avez aimé.

Si vous aimez encore votre conjoint, il vaut peut-être mieux ne pas le quitter. Mais que vaut-il mieux ? Demeurer auprès de l'autre et vivre au pis-aller pour le reste de vos jours, ou mettre un terme à la présente situation afin de trouver mieux pour chacun de vous? Si vous êtes influencés par un entourage qui vous conseille de rester, imaginez-les à votre place, avec votre bagage de connaissances, de souffrances et de craintes. Eux choisiraient-ils de rester coûte que coûte? Dans l'affirmative, auraient-ils droit à votre admiration?

Vous pourriez à juste titre être rongé par l'inquiétude. Si la relation est au point mort, vous pourriez vous faire du souci à l'égard de l'autre. Mais la compassion peut vous tendre un piège. «Je ne voulais pas qu'il souffre de notre séparation, alors j'ai consenti à le voir une fois par semaine», avoue Rodrigue. «Par la suite, j'ai senti qu'on abusait de ma gentillesse.» Afin de tempérer les esprits survoltés et d'arranger les choses à l'amiable après une séparation, on peut s'infliger un stress que l'on ne souhaite pas; la cassure définitive sera d'autant plus désagréable pour chacun des conjoints.

Heureusement, il existe d'autres façons. C'est le moment d'avoir recours à ses bons amis. «Lorsque nous avons décidé d'une séparation, j'ai rencontré tous nos amis pour leur dire ce qui en était et pour leur laisser savoir que Jill aurait besoin de leur soutien moral», raconte Tim au sujet d'une aventure récente. «Ils ont tous été formidables.» Si le chagrin de votre conjoint est tel que vos amis ne suffisent pas à l'adoucir, il faut recourir à l'aide d'un professionnel. Thérapeutes et conseillers s'occuperont de l'autre pendant que vous retrouverez votre souffle. Vous aussi pouvez prendre une partie du fardeau émotif de votre ex-conjoint, toutefois à la condition de ne pas susciter en lui de faux espoirs. Vous pouvez seconder l'autre afin de lui faire comprendre que vous ne serez plus toujours à ses côtés, lui inculquer la valeur de l'amitié en vous comportant comme un ami.

Envisager l'avenir

On peut certainement aider l'autre en lui laissant entrevoir ce qui adviendra après votre rupture.

«Lorsque Shaun et moi nous sommes séparés, nous avons discuté afin de voir quels seraient nos rapports à l'avenir. Nous nous sommes attardés à ce qui serait désormais différent — nous ne dormirions plus ensemble, nous aurions moins de contact. Nous avons aussi parlé de ce que nous espérions de notre nouvelle relation — nous nous verrions de temps en temps, nous nous téléphonerions à nos anniversaires. Je me sentais plus confiante en sachant ce qui adviendrait.»

Si vous avez suffisamment de courage pour négocier la fin d'une relation au même titre que vous avez négocié son avènement, vous vous rendez l'un l'autre un fier service.

Que souhaitez-vous que devienne votre rapport après la séparation — ne plus vous voir ou faire l'amour sans liens affectifs? Que voulez-vous donner à l'autre (par opposition à ce que vous croyez devoir lui donner) et que voulez-vous recevoir de lui : une soirée par mois, la visite des enfants, un échange de lettres? Faites cette exploration intérieure avant de discuter avec l'autre. Envisagez le pire et le meilleur, construisez ensuite le scénario réaliste que vous souhaitez négocier. (Nous avons exclu l'aspect financier car il est extrêmement délicat.)

Si vos besoins entrent en conflit avec ceux de l'autre, il vous faudra négocier au moment où émotivement vous n'en aurez pas envie. Si elle souhaite maintenir le contact alors que vous préférez l'oublier au plus tôt, il sera difficile de satisfaire vos besoins respectifs sans blesser l'un des deux. Il faut aussi vous attendre à d'agréables surprises. Joe et Gwen ont ainsi découvert qu'ils voulaient dorénavant vivre une amitié. Convaincus que le fait de partager un bon repas leur rappellerait trop leur vie commune, ils ont décidé d'entreprendre ensemble une nouvelle activité. Ils commencèrent à faire de la voile, ce qui leur permettait de passer une journée ensemble de temps en temps en compagnie de leurs amis. Ainsi ils se revoyaient sans partager un moment futile ou trop intense. Une fin heureuse.

Si l'autre vous quitte

Il est plus difficile de tourner à son avantage une situation que l'on n'a pas souhaitée. Qu'on l'apprenne de but en blanc ou petit à petit, savoir que celui qu'on aime ne souhaite plus notre compagnie peut être une expérience dévastatrice.

On peut cependant faire en sorte de minimiser cette dévastation. Avant de mettre un point définitif à la relation, demandez-vous quel serait votre avenir commun. Vous avez le droit d'envisager une relation future avec votre ex-conjoint, à la condition que dans vos projets il demeure tel. Sinon il ne ferait que s'éloigner plus vite.

Négociez ce qui vous apparaît souhaitable. Joanna avait besoin d'air et de liberté pour oublier David, de même qu'elle souhaitait le rencontrer sur une base amicale. Ils en vinrent à un accord : ils convinrent de ne pas se rencontrer durant les trois premiers mois, au bout desquels ils iraient boire un verre ensemble. «Lorsque je l'ai vu, je n'ai rien ressenti d'autre que de l'intérêt pour lui. Aucun soubresaut émotif. À présent, nous nous voyons de temps en temps et nous apprécions les moments que nous passons ensemble.» Neil avait besoin de soutien moral que son ex-femme Diana ne pouvait lui offrir. Ensemble, ils dressèrent la liste des personnes susceptibles de l'aider et Diana lui téléphonait une fois par semaine afin de maintenir un lien. Cet arrangement procurait à Neil ce dont il avait besoin sans que Diana se sente oppressée.

Que faire si l'autre n'entend pas négocier et qu'il soit revêche à l'idée de trouver une solution qui convienne à chacun de vous? S'il en est ainsi, réfléchissez à vos propres motifs. Ceux qui veulent s'en aller voient de loin les embûches que l'on met sur leur chemin. Si, sous prétexte d'un rendez-vous d'affaires, vous courez vers une rencontre amoureuse, votre partenaire protège seulement ses arrières. Mais s'il refusait catégoriquement de négocier, alors que cela équivaudrait à rechercher une solution acceptable pour chacun de vous, il faudrait sérieusement vous demander s'il est souhaitable de se faire du souci pour un être pareil.

Songez à vous

Après la séparation, il faudra vous occuper de vous-même. Trop longtemps vous êtes-vous attardée aux besoins de l'autre, au point de renoncer à votre travail et à vos occupations. «On ne se soucie plus d'être bien coiffée quand on passe ses soirées à se disputer», avouait une participante en atelier. De la sorte, on peut facilement se retrouver en piteux état. Considérez alors vos acquis — de l'argent, du temps libre, des amis, des loisirs — et essayez d'en tirer profit. Dépensez votre argent à votre guise; investissez sur vous-même sans rechercher l'approbation de votre conjoint. Faites de vos temps libres ce dont vous avez envie: allez voir les films qu'il n'aimait pas, pratiquez les sports dont vous vous priviez parce qu'elle les détestait. Il y a aussi les amis sur qui vous pouvez compter, mais demandez-leur de vous prévenir lorsqu'ils en auront ras-le-bol.

La séparation cause l'un des dix stress émotifs les plus grands. Lorsque meurt un être cher, on vit une période de deuil durant laquelle se succèdent le refus, la colère et enfin l'acceptation. Il en va de même pour la dissolution d'une union amoureuse. On refuse d'abord de reconnaître les faits, ensuite on se fâche contre l'autre qui nous quitte et finalement on accepte la réalité. Une telle situation est évidemment stressante. «Il m'a fallu une année pour ne plus pleurer et une autre année pour ne plus languir», raconte Tom.

On peut éviter cela car on n'a pas à languir. On peut changer ses pensées, de même que les émotions ressenties face à ces pensées. Les regrets évoquent un avenir qui n'adviendra pas; en modifiant ses perspectives d'avenir, on déloge les regrets. La douleur est issue de la perte d'un être cher, mais si on réévalue cette personne en lui conférant moins d'importance, la douleur s'estompera peu à peu.

Qu'avez-vous appris de cette relation?

Réfléchissez à votre relation. Songez aux bons moments et aux jours difficiles. Le souvenir avivera des images dont certaines ne s'effaceront jamais. Dissociez-vous de ces événements et considérez-les de l'extérieur. Voyez-vous, voyez votre conjoint mais par un troisième oeil; revivez la scène en spectateur. Voyez ces gens qui discutent, qui crient ou qui pleurent. Voyez de quoi ils ont l'air, écoutez leurs paroles. En étant spectateur de vos émotions, vous commencerez à vous en dissocier et vous vous sentirez mieux.

Qu'avez-vous appris de cela? Il n'est pas facile de découvrir que chaque événement nous a enseigné une leçon. En songeant à chaque incident important et en le considérant d'un point de vue extérieur, l'enseignement que vous en avez tiré vous apparaîtra.

Chaque fois que nous sommes amoureux, nous apprenons quelque chose. Certaines de ces choses nous sont d'un grand secours — savoir que l'on peut tisser des liens intimes, que l'on est agréable au lit, etc. «Il n'y avait rien de tel que de recevoir une rose rouge au matin d'une aventure. Ainsi, je savais que j'étais du tonnerre», dit Eve. Tout ce que l'amour nous apprend n'est pas nécessairement profitable : savoir que l'on peut crier de haine, que l'autre nous trouve ennuyeuse. Heureusement, il est possible d'accumuler les messages positifs et d'oublier les négatifs. Il est aussi possible de trouver un autre partenaire qui nous aidera à éviter les erreurs passées.

Passez en revue vos relations antécédentes. Faites la liste de vos ex-conjoints. Quelles sont leurs similitudes? En quoi étaient-ils différents? Ces similitudes correspondent-elles à ce que vous espérez d'un éventuel partenaire? Tanya ne rencontrait que des hommes qui dépendaient d'elle émotivement et financièrement. Jim ne rencontrait que des femmes dominatrices qui se plaignaient ensuite d'avoir toutes les responsabilités. Si l'on ne souhaite pas connaître le même type d'individu, pourquoi rencontre-t-on toujours ses semblables? Que faire afin d'éviter les mêmes erreurs?

Avec le recul, quel type de conjoint souhaitez-vous dorénavant? Il faudra peut-être du temps avant d'engager une autre relation, avant même d'y songer sérieusement, mais quand le moment viendra que recherchérez-vous? Tenez compte du type de conjoints choisis dans le passé.

Fort de ce que vous ont appris vos relations antérieures, vous augmenterez vos chances de bonheur à venir. Vous avez peut-être perdu foi en vous-même et en vos semblables, mais une nouvelle conscientisation peut permettre d'envisager une nouvelle relation avec plus de sérénité que par le passé.

Nous avons tendance à percevoir la fin d'une liaison de façon négative. Nous parlons de «cassure» et de «rupture». Nous oublions que la division d'une cellule crée deux vies nouvelles. Songez que la séparation n'est pas une fin en soi, mais elle peut être un recommencement créateur.

IX
Planifier l'avenir

Il en va différemment des relations à long terme et de celles à court terme. Les problèmes auxquels on doit se confronter, les opportunités ne sont pas les mêmes. Certains s'estiment heureux d'une relation à brève échéance, mais la plupart des couples visent une relation de longue durée. Les plus vieux mariés qui se soient confiés à nous l'étaient depuis quarante-trois ans.

Grâce à quoi une relation amoureuse peut-elle subsister si longtemps? Il semble y avoir trois raisons : des objectifs communs, l'engagement et l'ajustement entre les individus qui les fait se comporter comme un seul être plutôt que deux.

Le quatorzième passage amoureux consiste à définir les objectifs d'une relation, en prévision du prochain mois ou des vingt prochaines années. Une certaine adresse est nécessaire afin de déterminer les objectifs qui conviennent aux deux parties et qui satisferont également chacun des conjoints dans leur contexte quotidien.

Les diverses formes d'engagement font l'objet du quinzième passage. Qu'il s'agisse d'acheter une maison ou d'avoir un enfant, de se vouer entièrement à l'autre ou de développer une relation plus libre, prendre un engagement envers quelqu'un est un formidable défi à relever.

Si vous décidiez de prolonger une heureuse association en une relation plus intimiste, il faudra constamment entretenir le feu des bons sentiments. Le seizième passage démontre les courbes ascendante et descendante que peuvent suivre les relations amoureuses.

Planifier un avenir heureux

Nous avons découvert que les couples heureux songent à un avenir fait de bonheur. Ils voient loin devant eux et leurs projets futurs tiennent compte de leurs partenaires. Ils planifient des choses heureuses, des activités souhaitées par chacun, parlent d'endroits où ils désireraient vivre ensemble, bref d'une existence heureuse qu'ils partageront à deux. Ici, nous ne prononçons pas le mot «toujours». Une heureuse relation peut très bien se solder en une aventure d'une nuit. Peu importe l'avenir que l'on envisage ensemble, qu'il s'agisse du petit déjeuner ou d'une retraite au soleil, on se l'assure en l'imaginant clairement et en mettant tout en oeuvre afin de l'obtenir.

Remarquez que nous parlons de «tout mettre en oeuvre». Il n'est pas essentiel d'atteindre ce but; cela peut même s'avérer inutile à la fin. En traçant un parallèle entre une relation affective et un voyage, on s'aperçoit des changements de destinations. À cinquante ans, Jon fut mis à la retraite. Il acheta un bateau et s'embarqua avec Ruth et remplit des contrats d'affrètement. Cela ne correspondait pas à leurs projets initiaux sans toutefois y contrevenir. Tous deux souhaitaient vivre ensemble et partir à l'aventure. Des chemins différents, une même destination.

Vous pouvez convenir d'une destination future — une montagne, un mariage, une aventure — et en changer lorsqu'elle ne vous semble plus appropriée. Se marier mais avoir deux enfants plutôt que quatre. Une aventure en passant, mais pas tous les soirs. Il importe avant tout d'établir un but qui plaise à chacun, qui générera votre énergie et qui s'adaptera à votre itinéraire tout au long du voyage.

Si vous conveniez du choix d'une montagne où aller, il ne serait pas nécessaire de connaître à prime abord la route pour s'y rendre. Vous n'auriez qu'à grimper sur quelque colline avoisinante. Au sommet de la colline, grâce à la perspective, vous décideriez de la prochaine direction et ainsi de suite. Si vous projetez un avenir agréable pour chacun de vous, vous vous entendrez sur les conditions de l'association et à chaque pas que vous ferez, vous déciderez de ce qui convient de faire ensuite.

«Au cours du premier Noël que nous avons passé ensemble, nous avons beaucoup discuté de ce qui serait notre logement idéal. Nous avons convenu que l'endroit qui nous plairait à tous deux serait très spacieux, le lit serait encastré au ras du sol, les vastes placards seraient camouflés et tout l'intérieur serait blanc. Nous l'appelions la Maison Blanche. Nous y avons longtemps songé, jusqu'au jour où nous avons trouvé un appartement se prêtant à un tel décor. Le résultat final était de plus modestes proportions, les murs plutôt rosés que blanc neige, mais cela convenait à nos besoins. Au moment où nous l'avons obtenu, nous savions ce que serait notre vie dans un tel environnement.»

Entrevoyez votre avenir commun, en vous projetant dans le futur afin de regarder derrière vous. Si vous savez déjà que cette relation en sera une à court terme, réfléchissez en conséquence. Rien n'oblige l'amour à durer éternellement. Si vous vous entendez là-dessus, vous aurez des chances de réussir votre vie à deux. Une mise en garde : si en cours de route, vous découvrez que vos projections d'avenir ne concordent pas, il faudra vous montrer prudents. «J'avais toujours envisagé notre union à longue échéance; j'ai été très étonné quand j'ai appris que Michelle ne nous imaginait pas ensemble après nos études universitaires. J'ai dû me faire à cette idée afin d'apprécier le temps qui nous restait à passer ensemble», dit Roger.

Atteindre vos objectifs

Lorsque vous vous serez entendus sur la durée temporelle de votre union, pensez à votre futur éloigné. «Nous concevons notre union comme une façon de vivre notre retraite», disent Nicki et Robert, deux quinquagénaires. «Nous fixons nos objectifs en fonction de cela.» Commencez donc par la fin, choisissez la montagne la plus lointaine vers laquelle vous voulez vous diriger et déterminez vos objectifs en conséquence. Fantasmez sur ce qui serait votre avenir idéal.

«Fantasme» est le mot-clef de ce passage. Ne laissez pas la réalité ou ce que les autres attendent de vous entraver votre imagination.

Commencez par la fin de votre relation en concevant ce que vous désirez vraiment. Tenez-vous à vous retirer dans une île des Antilles ou à avoir quinze marmots et un chien berger? Écrivez tout.

Vous apprendrez beaucoup en découvrant ce que vous espérez d'une relation affective. À l'instar de Sue, vous pourriez remettre en question votre désir de n'avoir jamais d'enfants. Ou découvrir à la manière de Martin que vous souhaitez vraiment vous marier sans toutefois vous presser à l'autel. On voit davantage ce qui émerveille et ce qui risque de décevoir en en faisant la projection dans l'avenir. Vous pouvez ne voir aucun inconvénient à ce qu'il accapare durant des heures la ligne téléphonique avec son ordinateur, jusqu'au moment où vous l'imaginerez faire de même pendant quarante ans. Alors vous serez tentée de renégocier.

On apprendra davantage en définissant non seulement ses propres buts mais aussi ceux de l'autre. Qu'est-ce que chacun de vous souhaite réaliser au cours de sa vie? Qu'est-ce que chacun souhaite éviter? Qui plus est, vos désirs respectifs sont-ils conciliables?

«J'ai fréquenté plusieurs femmes et j'ai souvent éprouvé des déceptions en me rendant compte que nos objectifs à long terme n'étaient pas les mêmes. La vie familiale au foyer n'exerce aucun attrait chez moi; seules ma carrière et une vie trépidante m'intéressent. Lorsque j'ai connu Julia, j'ai su que nous avions des atomes crochus.

Elle ne veut pas d'enfants et vit pour sa carrière. Au bout d'une année de fréquentations, j'ai subi une vasectomie. Ainsi les choses se sont arrangées, je savais que nous étions sur la bonne voie. »

Reprenons la phrase de Saint-Exupéry : « L'Amour, ce n'est pas se regarder l'un l'autre ; c'est regarder ensemble dans la même direction. ». S'il en est ainsi, si cette direction motive chacun de vous, alors vous triompherez ensemble des pires épreuves, des souffrances émotives et physiques, afin d'atteindre le but fixé. Rose et Philippe ont acheté une maison délabrée qu'ils ont mis cinq ans à rénover. « La seule façon dont nous pouvions acquérir une maison était d'acheter un taudis et de le rénover. C'est ce que nous avons fait. Les travaux sont à présent terminés. Nous pouvons songer à avoir des enfants en sachant qu'ils grandiront dans une belle maison. »

De tels objectifs communs peuvent engendrer une nouvelle race de héros. Par contre, des objectifs mal assortis tissent la trame des tragédies. En effet, y a-t-il sentiment plus destructeur que d'avoir participé à une relation qui a permis à l'autre de s'épanouir et de constater que tant d'efforts furent dirigés à sens unique, sans aucune satisfaction pour soi-même que celle d'avoir secondé son conjoint ? Cela peut suffire aux femmes qui se conforment au moule de l'épouse traditionnelle. Mais souvent cela ne suffit plus.

Comparez vos idéaux

Échangez régulièrement vos vues afin d'éviter les déceptions éventuelles. L'un souhaite le mariage et l'autre craint ses chaînes ; l'un désire vivre en communauté et l'autre est répugnée par cette idée ; l'un se complaît dans un boulot de neuf à cinq alors que l'autre envisage de devenir pigiste ; autant de situations qui demandent que l'on prenne une action immédiate.

Cette décision peut varier de beaucoup. Le dernier recours serait une rupture. Les êtres qui apprécient la compagnie de l'autre et qui ont des rapports physiques satisfaisants connaissent parfois l'affliction parce que leurs objectifs sont inconciliables. Avant d'en arriver à cette mesure draconienne qu'est la rupture, on procède à une ronde de discussions. Si vous avez fait un bout de route ensemble, vous bénéficiez d'un avantage : vous avez déjà prouvé que vous souhaitez réussir votre vie de couple. Vous envisagez un avenir meilleur. S'il s'agit de négocier les détails permettant de concrétiser ce projet commun afin qu'il soit acceptable pour chacun de vous, vous n'hésiterez pas.

Ici, nous ne faisons pas seulement allusion au projet d'avoir des enfants ou du choix d'une résidence pour personnes âgées. Les objectifs communs importent autant aux couples qui prévoient une relation à brève échéance. C'est le cas de Helen et James : «Nous envisageons notre relation sur une période d'un an et nous formons des projets en conséquence.». Il est rassurant de savoir ce qu'on fera la semaine prochaine. Plusieurs survivent au long hiver en projetant les vacances de l'été prochain.

Continuez donc de discuter et de négocier. Qu'il en soit ainsi jusqu'à ce que vous élaboriez des projets qui suscitent l'enthousiasme de chacun. Si vous ne vous entendez pas sur les projets de toute une vie, alors planifiez la prochaine décade; si vous êtes incertains au-delà des six prochains mois, convenez à tout le moins du film que vous verrez ensemble cette fin de semaine. «Je ne projette jamais rien au-delà d'une année, nous confie Melinda. Nous planifions notre relation en termes généraux. Nous abordons avec circonspection les projets échelonnés dans l'avenir.»

Tirer le meilleur de la situation

Après avoir élaboré ses projets d'avenir, il faut se montrer réaliste. Vous voulez partager un appartement? Comment l'obtiendrez-vous? Si vous ne pouviez acheter le *penthouse* de vos rêves, par quoi le remplaceriez-vous? Notre chambre blanche n'est pas aussi spacieuse que notre projet initial le prévoyait, mais en démolissant quelques murs et après plusieurs couches de blanc, nous en sommes arrivés à un résultat qui s'y rapproche. Quelles seront les approximations de vos projets?

Que faut-il ajouter à votre entente afin d'en arriver à ces approximations? Peut-être de l'argent ou du temps. Ou alors des copains qui vous donnent un coup de main pour la peinture, ou des collègues qui vous encouragent à faire un nouveau choix de carrière. Le gérant de banque de Tom était heureux de lui prêter l'argent afin qu'il accompagnât David autour du monde; le comptable de Colin et Shirley les pistonna afin de favoriser leur carrière de pigiste. S'il vous manque certaines connaissances, inscrivez-vous à un cours. Si vous êtes peu confiant, faites une thérapie afin de développer l'affirmation de soi.

Si vous vous êtes entendus sur la nécessité de vous fixer des buts communs, notez les différentes manières dont vous pourriez y parvenir. Songez à toutes les solutions, même les plus abracadabrantes. Les idées les plus farfelues peuvent engendrer des dénouements réalistes. Sue et Ian souhaitaient que l'entretien domestique se fît sans qu'ils aient à s'en préoccuper. Ils conçurent le projet fou d'employer un majordome. Ils en vinrent à la solution réaliste : engager une personne pour faire l'entretien, ce qui résolut leur problème. Après avoir émis les diverses possibilités, considérez celles qui s'avèrent susceptibles d'être réalisées.

Songez ensuite à vos ressources. De quoi disposez-vous pour atteindre ce but? Considérez votre relation comme un tout. Si l'un excelle en menuiserie, le couple en bénéficiera. De même, si l'autre a un sens du timing, les deux en tireront profit.

On devra envisager différemment la situation pécuniaire si l'on n'a pas négocié un revenu commun. Une discussion peut s'avérer une excellente façon d'envisager les ressources dont vous devrez disposer, puis réfléchissez à la manière d'y parvenir.

Finalement, vous devrez décider du premier pas à faire en vue d'atteindre l'objectif fixé. Tant de projets fantastiques ont été abandonnés parce qu'ils semblaient herculéens. Reconnaître la première étape permettra de démarrer le projet sans toutefois vous effrayer. Alors seulement envisagerez-vous la seconde étape et ainsi de suite.

Une relation affective a de meilleures chances au bonheur si on la vit une étape à la fois. Il faut soigneusement discuter de la montagne à escalader; elle doit répondre aux aspirations de chacun. Le choix de la destination doit faire l'unanimité afin que chacun s'y rende de gaieté de coeur. Ensuite peut-on procéder au départ, modifier le parcours au besoin, faire autant de détours que l'on désire et se rendre à la montagne avec la conscience que c'est véritablement celle-ci que l'on souhaite gravir. Une étape à la fois.

Le Quinzième passage de l'amour :

S'engager pleinement envers l'autre

Qu'est-ce qu'un engagement? Nous avons obtenu autant de réponses différentes que d'individus auxquels nous avons posé la question. Selon Terri et John, le mariage est l'ultime engagement. Pour Beeda, c'était porter les enfants de son époux. Pour nous, c'est travailler et vivre ensemble. Pour Dave, c'est d'être avec Tom et de faire l'amour avec lui sans prendre d'engagement à longue échéance.

Les engagements varient, qu'il s'agisse de passer une nuit ensemble ou de concubiner toute une vie. Le dénominateur commun : l'avenir. «Si je décide d'un projet d'avenir qui me rende heureux, alors je me sens engagé envers Sue. Je nous imagine ensemble dans l'avenir et cela fait ma joie. Ainsi, je sais que je me suis engagé envers elle.»

L'avenir ne concerne pas le présent; comment savoir ce qu'il apportera? Nous ne sommes pas devins et nous ne pouvons prévoir si la relation sera heureuse ou pas. Personne ne sait, voilà en quoi réside l'engagement. Ignorer si l'avenir sera porteur de maladies ou de santé, de richesses ou de pauvreté et choisir de vivre ensemble, serait-ce pour l'été... Un tel acte est un engagement. Mais auparavant, on ne peut que s'imaginer ce que sera la vie à deux et se réjouir à cette seule pensée.

Plusieurs couples le font. Joe imaginait Katie devenir sa femme et se sentait heureux ainsi. Philippe était confiant face à ce que deviendrait Rose avec le temps. Liz n'imaginait personne qui puisse la souffrir, sauf Kathy. Chacun d'entre eux avait une vision de l'avenir qui les rendait heureux et à laquelle ils ont tenu.

Aspirer à un tel engagement

De nombreux signes extérieurs témoignent d'un engagement. Les fréquentations et le temps passé à se courtiser en sont un. Comment décide-t-on de revoir l'autre, de s'engager un peu plus envers lui, sinon en faisant une projection d'avenir de ce que l'on en connaît et d'y trouver une forme de satisfaction? Chez plusieurs, les fiançailles sont l'annonce officielle de leur engagement. Le mariage consiste alors en la prochaine étape. La société nous permet de considérer un avenir commun en nous laissant entrevoir ce que sera le mariage. Nous pouvons ainsi voir si l'image que nous nous en faisons demeure la même et si nos sentiments restent inchangés. D'autres sautent cette étape et vivent en concubinage; leur engagement devient d'ordre pécuniaire. Certains choisissent encore d'avoir des enfants hors mariage, en croyant que la vie familiale les unira longtemps.

Dans la société occidentale, le mariage officialise cet engagement des conjoints. Nombre d'entre eux se retrouveront à la cour des divorces, mais cela n'empêche pas les couples de proclamer devant la parenté réunie qu'ils s'aimeront éternellement. Par ce geste, ils confèrent à leur avenir un sentiment de sécurité et le rendent ainsi plus attrayant.

«Après notre mariage, j'ai eu la confirmation de mes sentiments. J'avais longtemps craint de me sentir étouffée mais en réalité j'étais plus sereine, je pouvais affronter le pire, apprécier le meilleur et je nous imaginais longtemps ensemble.»

Il est capital d'être prêt à vivre le meilleur et le pire. La promesse dont l'avenir est porteur permettra à chacun de s'engager plus avant face à l'autre lorsque la tempête secouera leur barque. Écoutons Ian : «Lorsque nous nous disputons, j'imagine l'avenir que je nous souhaite; cette pensée positive me permet de supporter le moment présent.»

Car on devra supporter plusieurs situations difficiles, autant au sein du couple qu'à l'extérieur. On pourra manquer de patience autant que d'argent. Toutes les difficultés que doivent affronter deux êtres formant un couple risquent de les diviser plus que les unir. L'engagement faiblit à mesure que les heureuses projections d'avenir s'envolent en fumée.

Respecter son engagement

Comment éviter la scission? Plusieurs approches énoncées dans cet ouvrage permettent de surmonter les périodes difficiles. Il faut cependant s'assurer dès le départ que l'on sera en mesure de tenir l'engagement auquel on consent.

L'engagement que l'on tiendra aura été pris de façon naturelle, sans détours et parce qu'on ne pouvait consentir à mieux. Accepter sans arrière-pensée, sans entrer en conflit d'intérêts. «Alors que je me rendais à l'autel, je me disais que le divorce pourrait m'en sortir», raconte Lynn au sujet de son mariage à Alexandre. «Je n'agirais plus ainsi.»

Il est plus facile d'admettre que l'on n'est pas prêt pour le mariage plutôt que faire face aux problèmes. S'engager envers quelqu'un signifie planifier l'avenir et s'en réjouir à l'avance. Il ne s'agit pas de dire «oui» de crainte de passer pour une femme facile ou parce que la salle de réception est réservée depuis longtemps.

Chacun est en droit de se poser des questions, d'être inquiet face à l'avenir, d'avoir des craintes inspirées du passé. En ce cas, il manque quelque chose. Il peut s'agir de renseignements au sujet de l'autre et de ce que sera votre vie commune, du doigté nécessaire à la vie conjugale, de doutes au sujet de soi-même. Il peut s'agir de ressources, d'argent pour payer l'hypothèque ou d'un comptable qui vous aide à planifier un budget.

Peut-être n'êtes-vous pas assuré de l'engagement de l'autre? Peut-être non. Plusieurs sont heureux de s'engager sans promesse de la part de leur conjoint.

«Si Sue m'avait confié qu'elle songeait à me quitter, j'aurais essayé de sauver le bateau. C'est ce que je souhaiterais même si ses sentiments étaient changés. J'ignore si ça durera longtemps et ce que serait la vie après une séparation issue de nos querelles.»

Les sentiments peuvent s'évanouir à mesure que pâlit la dévotion de l'autre. Pourquoi en serait-il autrement? Si vous désirez que l'autre vous aime autant que vous l'aimez, pourquoi vos sentiments ne s'envoleraient-ils pas avec les siens? Vous retrouveriez de la sorte votre liberté affective et pourriez vous consacrer à un autre amour. Inversement, si vous pouvez aimer sans être aimée en retour, vous ne souffrez pas de la situation. Bien.

Cela se gâte lorsque l'un ne peut pas satisfaire les besoins de l'autre. Voilà pourquoi les aventures avec un partenaire marié causent tant de bleus au coeur : l'un fait des projets d'avenir alors que l'inertie de l'autre lui apprend déjà que ses espoirs resteront vains. Cette même agonie morale peut vous ronger si vous êtes celui des deux sans vision d'avenir : sans jeter la faute à qui que ce soit, votre vie auprès d'elle semble grise alors qu'auprès d'une autre, elle vous apparaît en rose. Vous serez atterré par le désir de ne pas faire souffrir celle que vous aimez encore.

La seule chose à faire en pareil cas semble inévitablement vouée à l'insuccès : modifier ses perspectives d'avenir. Que faudrait-il afin que vous (ou votre conjoint) brossiez un tableau positif de votre avenir commun? Quels besoins devrait-il combler? Quels projets devraient être mis en branle? Quelles interactions devraient être modifiées afin que l'avenir semble meilleur? Si vous êtes mal assortis, la rupture demeure la meilleure solution.

En amour, vous faites votre chance

Votre conjoint et vous devez savoir dans quelle direction aller afin de raffermir vos liens. Vous devez prévenir les dangers qui vous guettent. Cela est valable pour tous les couples, même les plus unis.

Réfléchissez à l'engagement qui vous tient à coeur, qu'il s'agisse d'un rendez-vous quotidien ou du grand amour. Plusieurs choses pourraient modifier la nature de cet engagement. Un geste posé par vous, par exemple partir pour l'étranger; un acte venant de l'autre, par exemple être infidèle; un événement provenant de l'extérieur, tel un déménagement à cause du travail. Si elle devenait rousse? Si on le flanquait à la porte? «Je pense que je réviserais mon engagement si un accident privait Caroline de son intelligence. Notre relation ne serait plus la même», avoue Pete.

Qu'est-ce qui décuplerait la force de votre engagement? Davantage de temps passé ensemble, plus d'argent? Un engagement plus sérieux de la part de votre conjoint? Une autre manière de résoudre les conflits? Un enfant? S'il cessait de boire? Qu'est-ce qui ferait toute la différence à vos yeux?

Procédez à un examen de conscience et, si possible, discutez-en ensuite avec votre conjoint. Comparez ceux des engagements que vous avez déjà pris et ceux que vous aimeriez prendre dorénavant. Discutez ensuite de la manière de consolider et d'atténuer votre engagement. Qu'avez-vous appris au sujet des craintes et des besoins de l'autre? Qu'a-t-elle appris à votre sujet? Quelle leçon en tirez-vous quant à votre comportement, votre approche amoureuse, la route à suivre afin de solidifier votre engagement? N'oubliez pas que l'on peut parer aux facteurs extérieurs (grossesse imprévue, licenciement, etc.) de maintes façons.

Les relations affectives ne comptent pas avec la chance. Vous ne lisez pas l'avenir dans une boule de cristal. Vous n'êtes peut-être pas en mesure de dire que vous tiendrez votre engagement actuel pour le reste de vos jours. Mais vous disposez d'un meilleur outil qu'une boule de cristal; votre pouvoir de communiquer et d'agir. Si vous parvenez à vous confier vos besoins et vos désirs respectifs et si vous faites en sorte de renforcer votre engagement respectif, vous n'aurez définitivement pas besoin de compter avec la chance pour être heureux.

Réflexions sur le quinzième passage

Ce qui affaiblirait votre engagement
Ce qui renforcerait votre engagement
Ce que vous pourriez faire
Ce que votre conjoint pourrait faire
Ce qui pourrait survenir (sans que vous l'ayez décidé)

Le Seizième passage de l'amour :

aller de l'avant

Vous êtes amoureux. Pour certains, les choses coulent en douceur, pour d'autres rien n'est moins sûr. Une autre personne est entrée dans votre vie, qu'il s'agisse simplement de dormir ensemble ou même de cohabiter. Vous avez beaucoup discuté afin de définir vos priorités respectives. Vous êtes engagés l'un envers l'autre, suite à des promesses, une bague de fiançailles ou même un enfant. Vous avez tissé des liens qui semblent indissolubles.

Que faire lorsque sont passées les premières exaltations du coeur? À présent que s'est atténuée la fièvre sans que vous entrevoyiez la vie en dehors de cette union? Qu'advient-il du sentiment amoureux lorsqu'il stagne dans la quotidienneté?

Ce livre fait état de ce qui survient lorsque tout ne tourne pas rond : les différends qu'il faut résoudre, les périodes difficiles à surmonter, etc. La plupart triomphent cependant de ces embûches parce que celles-ci comptent moins que le lien unissant deux êtres. Que faire alors pour que les choses aillent s'améliorant? Jusqu'où le bonheur peut-il aller? L'amour peut-il se décupler avec le temps?

Oui, c'est possible, en suivant la courbe de la spirale comme le font les problèmes. Au même titre qu'elle peut chuter, elle peut aussi aller s'élevant jusqu'à devenir une source de bonheur et de satisfaction. Souvenez-vous du huitième passage : tout ce que nous voyons, entendons, disons et faisons est l'écho des passés lointain et récent. Les émotions alors ressenties sont souvent les mêmes.

Revivre les souvenirs heureux

Ces sentiments qui ressurgissent peuvent être négatifs ou positifs. Ainsi, les liens avec le passé s'effectuent dans les deux sens. La façon dont l'autre vous serre dans ses bras rappelle les câlins de votre mère et cela vous comble d'aise. La manière dont l'autre vous tient rappelle ses étreintes d'avant-hier et cela est bon.

On suscite les bons sentiments comme on le fait des moments pénibles. Un sourire complice échangé pour la première fois au cours d'un dîner officiel réchauffe le coeur; il sera d'autant plus merveilleux au fil des ans car à la complicité se seront ajoutés les souvenirs heureux.

«Nous nous aimons un peu plus chaque jour. Je sais à présent que Philippe sera à mes côtés, alors les moindres choses me redisent combien j'apprécie sa présence. Quand il se sent amoureux ou si je lui plais particulièrement, il m'appelle «ma chérie». Il s'est, bien entendu, d'abord agi d'un cliché, mais à présent, j'y vois le signe d'un attachement profond. Le seul fait de l'entendre prononcer ces paroles me rend heureuse. Lui aussi y voit une signification particulière.»

L'énergie positive qui émane des souvenirs heureux peut se communiquer à votre conjoint. Un sourire en attire un autre, que sa motivation soit actuelle ou passée. Il en va de même pour l'amour physique : des premières caresses à l'orgasme, le plaisir du moment se confond aux extases passées.

Ces souvenirs heureux réussissent à amenuiser les réminiscences douloureuses. L'énergie positive peut effacer les événements négatifs emmagasinés par la mémoire; le succès amoureux présent peut permettre de réévaluer ce que l'on considérait jusqu'alors comme des échecs. «Il m'a fallu beaucoup de temps afin d'oublier les sarcasmes au sujet de ma sexualité», avoue Liz. «Mon amour pour Kathy, la chaleur qui se dégage de notre lien y a grandement contribué.»

Tisser de nouveaux liens

On est en mesure de se poser des questions lorsque ces souvenirs heureux deviennent des lieux communs. On s'habitue à une situation, heureuse ou malheureuse. Il convient toutefois de faire une précision: l'habitude n'exclut pas que l'on cesse de voir les choses positives. Au contraire, cela peut signifier que l'on s'intéresse plutôt à d'autres aspects positifs.

«Non, je ne saurais dire que subsiste encore la griserie des débuts. Mais je connais mieux Maria, je sais à présent qui elle est. J'ai découvert à son sujet des choses auxquelles je ne m'attendais pas. Par exemple, elle se montre très exigeante lorsque nous travaillons ensemble. Elle mettra tout de côté si le résultat ne la satisfait pas, même si elle y a consacré la journée. Pour cela, je la respecte.»

On peut apprendre à connaître et à apprécier quelqu'un à des niveaux plus profonds. Les media et la littérature ne présentent souvent de l'amour que l'ivresse romantique des premiers jours. Une fois ce feu de paille éteint, on insinue que plus rien n'existe et qu'il faut reprendre la route en quête de nouvelles aventures amoureuses. Les couples interviewés nous ont cependant affirmé que l'amour existe au-delà la lune de miel. La relation peut être émaillée de disputes, mais aussi d'une pleine appréciation de l'autre dans tout son être.

Aucun couple n'a tissé que des liens positifs au cours de sa vie commune. Plutôt, chez ces gens les liens positifs pesaient plus lourd dans la balance que les négatifs. Il existe mille et une manières de renforcer ces liens : dialoguer, partager de bons moments, prendre soin de l'autre, élever des enfants et faire l'amour (assurément le meilleur lien qui soit).

Susciter l'amour

Il faut susciter le sentiment amoureux. Vous devez réfléchir aux choses qui font plaisir à votre conjoint. Pas seulement les cadeaux et les mots d'amour, mais les expressions moins évidentes et pourtant vitales — une expression, le ton de la voix, etc.

Nous insistons pour que vous apportiez beaucoup de soins à cette réflexion. Installez-vous confortablement, prenez votre temps, ouvrez une bouteille de rouge. Identifiez ce qui suscite en vous le bien-être, soudain vous vous sentirez mieux. Soyez prêts à rire, à vous câliner, à nager dans l'euphorie. En fait, envisagez toutes les éventualités.

Vous vous réveillerez en possession d'un schéma directeur indiquant tout ce qui suscite l'amour, ce qui fait le bonheur et la sérénité entre vous. Demandez-vous ce qui pourrait augmenter vos chances d'atteindre cette félicité : quels liens tisser à partir de ceux existant déjà? Qu'est-ce qui prolongerait davantage les spirales positives?

Si vous souhaitez poursuivre une union heureuse et multiplier vos chances de bonheur, forgez d'autres liens positifs entre vous. Un sourire, un câlin, une bonne bouffe, une soirée amusante, un pardon, une gentillesse, un peu d'excitation vous y aideront. Ensemble, l'un pour l'autre, vous y parviendrez. Plus vos liens seront nombreux, plus votre union comptera de chances de bonheur.

Réflexions sur le seizième passage

Qu'est-ce qui vous émerveille chez l'autre?
De quoi a-t-il/elle l'air?
Comment s'habille-t-il/elle?
Comment bouge-t-il/elle?
Quelle importance attachez-vous à sa voix?
Quels sont ses sujets de conversation?
Quels surnoms ou sobriquets vous font le plus d'effet?
Comment vous enlace-t-il/elle?
Comment vous caresse-t-il/elle?
Quel est le plus important souvenir positif que vous ayez en commun?
Parmi les divers aspects de la vie quotidienne, qu'est-ce qui vous touche le plus venant de lui/d'elle?
Qu'accepte-t-il/elle de vous qui soit très important à vos yeux?
Parmi ses projets d'avenir, lequel vous motive le plus?
Quelle est la meilleure manière dont il/elle puisse faire l'amour?

À son tour à présent...

Table des matières